アタマがみるみるシャープになる!!

脳の強化書

Training menu of 66

医学博士／「脳の学校」代表
加藤俊徳
Kato Toshinori

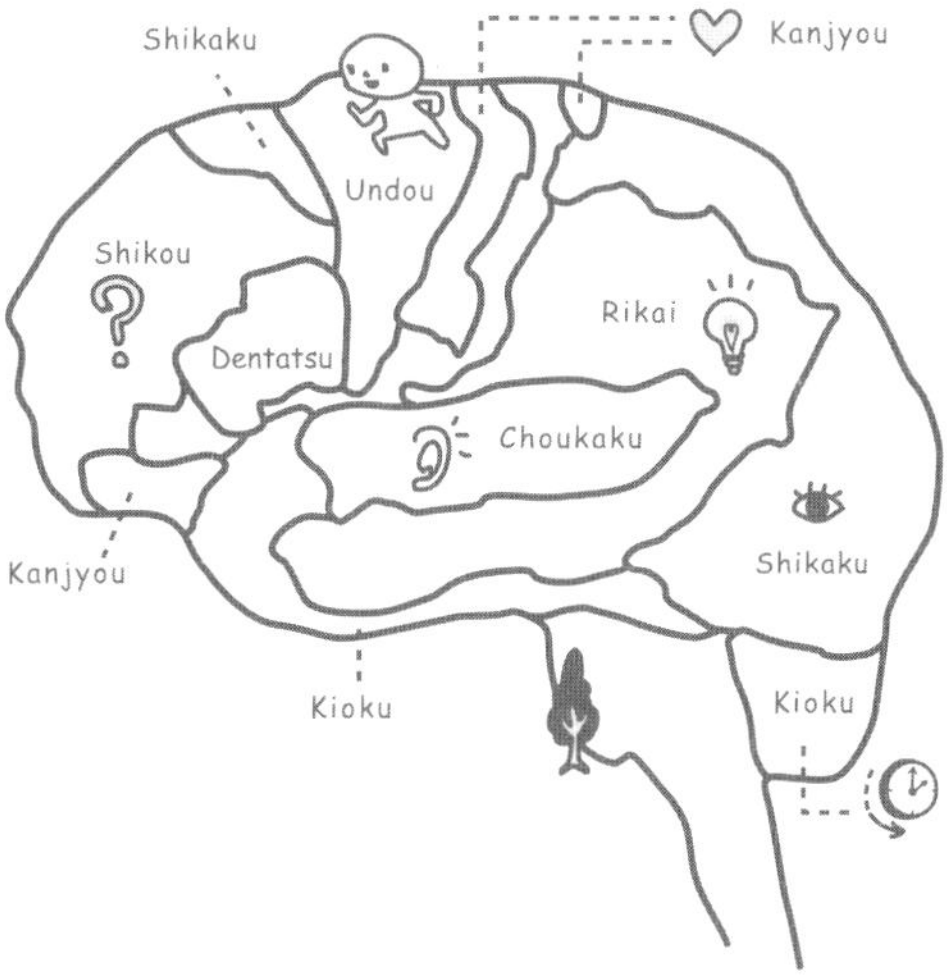

あさ出版

はじめに

筋肉を鍛えるのと同じように、脳をトレーニングすることはできるのだろうか――。

14歳のときにそんな疑問を持った私は、医学部に進学しました。

しかし、大学の医学部では、健康な脳の鍛え方について、期待していた答えは見つかりませんでした。

そこで、卒業後にアメリカに渡った私は、ＭＲＩ（磁気共鳴画像）という最先端技術を使って脳の研究に取り組んだのです。

ＭＲＩとは、「磁場」を利用して人体の内部を撮影する技術のこと。巨大な筒状の装置に人が横たわり、機械を移動させながら撮影が行われる光景を見たことがあるという人もいるでしょう。この技術を使えば、人体が「輪切り」になった状態で撮影されるので、脳を隅々まで観察することができるのです。

私は、この技術をもとに1万人近い人たちの脳画像を分析しました。

そして、その結果、脳に関する〝ある事実〟がわかったのです
その事実とは、「チャンスを与えれば、脳はいつまでも成長し続ける」ということでした。

一般的に、身体の機能は10代から20代にかけて発達し、30代、40代から緩やかに衰えていくと考えられています。そして、脳も同じような成長の軌跡をたどると思われています。

しかし、これは必ずしも正しくありません。

実は人の脳には未開発の部分がたくさん残っていて、そうしたエリアでは成長前の多数の脳細胞が情報や経験を吸収しようと待機しています。この成長前の脳細胞に適切な刺激を適切なタイミングで与えれば、脳はみるみる新しい姿に変わっていくのです。


ここまで読んで、あなたはこんなふうに考えるかもしれません。

「でも、それって要するに脳トレをしなさいってことでしょ？」

確かにこの本では、「脳」に対する効果的な「トレーニング」を紹介しています。

しかし、それは、これまでの「脳トレ」とはまったく性格の違うものです。

従来の「脳トレ」は、そのほとんどが、衰えを自覚しやすい記憶力やひらめきという機能を「鍛え直す」ものでした。

ですから、皆さんの中にも、「脳トレ」というと「老化を防止する手段」と考えている人が多いのではないでしょうか。

この本のトレーニングは、そのような後ろ向きで受動的な考え方ではなく、「なりたい自分」を手に入れるために脳を積極的につくり変えていく、という考え方に基づいています。いわば、脳を自分流にデザインするトレーニングと言えるかもしれません。

だからこそ、「まだ脳トレなんて必要ないよ」と考えている人たちにこそ、本書を読んでいただきたいと思います。

なぜなら、そう考えている読者の脳が、最も刺激を必要としているからなのです。

脳への刺激が足りないと感じている人も、そうでない人も、まずは本書の66のトレーニングを試してみてください。

すべてを経験したとき、あなたの脳は驚くほど強くなっているはずです。

医師／医学博士／「脳の学校」代表　加藤俊徳

Chapter 1

脳を〝理想の形〟につくり変えよう！

Chapter 2

思考系脳番地トレーニング

Chapter 3

感情系脳番地トレーニング

Chapter 4

伝達系脳番地トレーニング

Chapter 5

理解系脳番地トレーニング

Chapter 6

運動系脳番地トレーニング

Chapter 7

聴覚系脳番地トレーニング

Chapter 8

視覚系脳番地トレーニング

Chapter 9

記憶系脳番地トレーニング

脳コラム

chapter **1**

脳を〝理想の形〟につくり変えよう!

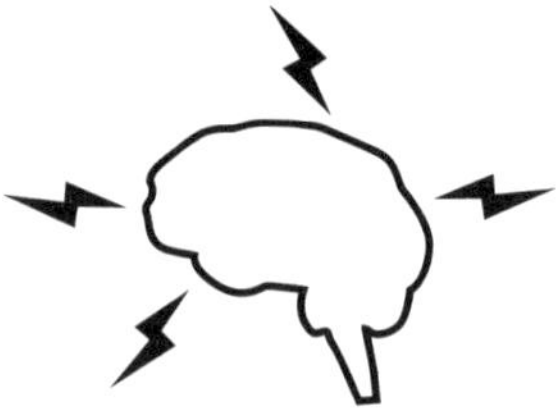

あなたの脳の鍛え方、間違ってない？

●脳は死ぬまで成長を続ける

この本の目的は、トレーニングによって脳を強くし、「理想の自分」をつくり出すことです。では、そのトレーニングとはどんなものなのでしょうか？

この問いに答える前に、「脳のしくみ」について少し説明させていただきたいと思います。

そもそも、脳はどのように成長していくのでしょう。

そして、いつまで成長を続けるのでしょうか。

まずは意外と知られていない、この話から始めたいと思います。

生まれたばかりの赤ちゃんの脳は、まだ成長する前のまっさらな状態です。

これは実際に脳画像を見たことがなくても、誰もが容易に想像できることでしょう。

実は一生の中で最も脳細胞が多いのは、この赤ちゃんの時期なのです。

その後、脳細胞の数は年齢を重ねるにつれて減少していきます。

この一点だけをとらえて「歳をとるにつれて脳は衰えていく一方だ」という誤った理解が定着しつつありますが、実はそうではありません。

脳細胞の減少に反比例するかのように、脳内ではアミノ酸などの物質が増えていきます。アミノ酸は「生命の源」と言われるように、体を形づくるうえでは欠かすことのできない栄養成分です。

脳細胞は、数こそ少なくなっても、このように栄養が供給され続ける限り、その成長を止めることはありません。つまり私たちの脳は、死ぬまで成長し続けるのです。

●脳が最も成長するのは20代から40代にかけて

私はＭＲＩ（磁気共鳴画像）を用いて、これまでに胎児から１００歳を超えるお年寄りまで、実に1万人を超える人々の脳の画像を見てきました。

そして各世代の脳を見比べた結果、20代から40代にかけての時期に、脳が非常に個性的になっていくことがわかったのです。

脳には本来、「成長したい」というエネルギーが満ちあふれています。

その勢いが最も強くなるのが、20代から40代にかけて。

この時期に正しく鍛えれば、脳はどんどん強くしなやかになっていくのです。

それにしても、なぜ、20代から40代なのでしょうか。

これには理由があります。

20代前半までは、多くの人が学校生活を送っていますが、学校では決められたカリキュラムをこなすことに重点が置かれ、それ以外の能力はあまり重視されません。ですから、脳の中の基本的な部分が集中的に使い込まれているにすぎないのです。

ところが、学校を卒業すると社会に直接アクセスする機会が増えるため、学生時代には使われなかった脳を働かせる機会が劇的に増えます。

つまり、脳が本格的に刺激を受け、成長を始めるのは、社会人になってからなのです。

私たちは「将来こうなりたい」という姿を思い描き、多種多様な目的を持って社会に出ます。そして社会も、業種や職種に応じてさまざまな役割を私たちに求めてきます。

脳の成長エネルギーが強くなるのが、まさにこの社会人としての活躍時期ですから、本人の意識次第で脳そのものも大きく成長する可能性を秘めているというわけです。

要するに20代から40代は、脳科学的に見ても積極的にチャレンジすべき時期。

しかし、その時期に「今さら鍛えたって遅いし」とネガティブになったり、「自分の能力はどうせこんなもんだ」と決めつけてしまったりするようでは、脳が順調に成長できるはずがありません。

私はこれまで、「脳の成人式」は30歳だと主張してきました。

脳の成長はバランスが重要ですから、知識も人格も偏りなく成長させなければなりません。

では、その基準となる年齢がいつかといえば、多くの脳画像を見た結果、30歳と考えるのが妥当だと判断したのです。

これは違う表現をすれば、自分の脳を鍛え、つくり変えようとするなら、30歳からでも遅くないということでもあります。

とはいえ、脳のどの部分を鍛えればいいのか、どうすれば鍛えられるのか、について十分理解している人は少ないでしょう。

それもそのはず。こうした情報は一般的にあまり知られていませんし、もちろん、学校で教わることもないからです。

しかし、脳を鍛えるための正しい方法は確かに存在します。

では、その方法とはどういうものなのか、順を追って説明していきましょう。

●学校の成績が良かった人は要注意！

まず、脳を鍛えるには、できるだけ多くの「経験」を積まなければいけません。

脳にとっての「経験」とは、神経細胞にどんな情報が届けられたか、どのように栄養を摂取したか、また、環境の変化にどう対応したかなどですが、これらが豊かであればあるほど脳は個性的になります。

脳が経験を積むためには、実際の生活でもさまざまなことに挑戦しなければいけません。

しかし、経験を積もうにも、世の中にはさまざまな「制約」があります。

たとえば、あるとき、上司から社内の雑巾がけをするよう指示されたとしましょう。

そこで、「どうして自分がそんなことをしなきゃいけないんだ！」と思ってしまったら、それは脳を使うときの「癖」に支配されているのだと気づかなければいけません。

これは、とくに学校の成績が良かった人ほど要注意です。

学校の成績が良かった人は、その成績に見合った行動を取ろうとします。つまり、自分にふさわしくないと思う作業はやらずに済ませるか、他人に任せようとするのです。

しかし、「雑巾がけ」という作業が脳に新たな経験を与えられるとしたら、「こんなことは自分がやることじゃない」と決めつけてしまうのは、もったいないことではないでしょうか。

誤解しないでいただきたいのですが、「雑巾がけ」が脳を鍛える手段だと言いたいわけではありません。

要するに、プライドや先入観が強すぎると、行動の選択肢を狭め、脳を使うチャンスを減らすことになるため、結果として脳の成長を妨げてしまいかねない、ということです。

あなたのまわりにも、学校の成績は良かったのに、社会に出たらまったく冴《さ》えなくて、仕事の成績も伸び悩んでいるという人はいないでしょうか。

そういう人は、学生時代に重視されていた、いわば「学校脳」の影響をいまだに強く受けていて、学校の勉強の延長線上でしか脳を使えていない可能性があります。

ですから、脳を鍛えるときには無用な制約を外して、できるだけ自由な発想を持つことが必要なのです。

●記憶力が低下したら思考力を鍛える

脳にはもともと「成長のしくみ」が備わっており、そのしくみに沿ってトレーニングすべきである。これが、私の考えです。

間違った方法では、脳細胞に経験をうまく与えることができません。

たとえば物忘れが激しくなったことに危機感を覚えて、記憶力を高めようとひたすら暗記しようとする人がいますが、これは正しい方法ではありません。

記憶力の低下は、脳の海馬（記憶をつかさどる部位）で萎縮《いしゅく》のサインが出ている状態です。しかし、記憶力が落ちて忘れっぽくなっている人が必死に何かを覚えようとしても、それは海馬をいたずらに酷使することになってしまいます。

萎縮して正常に働かなくなっている海馬に対して、無理に「これを覚えなさい」と命令を出したところで、あまり効果的ではないのです。

では、記憶力の低下を感じた場合、どんな対処法があるでしょうか。

有効なのは、記憶力ではなく、「思考力」を高めることです。

思考力が高まると、記憶力を低下させていた海馬の働きも回復し、元の状態に戻っていきます。ですから、記憶力が落ちたと感じている人は、他の人とコミュニケーションを図るなどして情報交換の機会を増やし、思考力を強化すればいいのです。

●一品主義の「脳トレ」ではダメ？

繰り返しになりますが、脳を鍛えるのは、どんな方法でもいいというわけではありません。

今、世の中には、いわゆる「脳トレ」といわれる本やゲームがいくつも出ています。

こうした「脳トレ」の中には、「この方法を実践すれば、あなたの脳は劇的に良くなりますよ」と、まるでひとつのトレーニングをこなすだけで脳全体が強化されるような誤解を与えるものがあります。

こうした、いわば「一品主義」のトレーニングは、それが具体的に脳のどこにどう効くのか、はっきり示していません。

誰もが手軽に始められる方法としては、こうしたトレーニングも必要でしょう。

しかし、そのトレーニングに飽きてしまった場合や、その方法では能力が伸びなかった場合に、代わりとなる方法が存在しないという欠点があります。

また、今までの「脳トレ」は1人ひとりの脳の個性には応えていませんでした。

人それぞれに個性があるように、脳にも個性があります。

つまり、脳を鍛える方法は人によって違うということ。

ところが、一般的に知られているパズルや計算ドリルのような「脳トレ」は、脳の個性に対応することなく、画一的な作業を押しつけているように私には感じられます。

こうした一品主義的トレーニングは、一見、誰でも簡単に始められるように思えますが、実際は人を選ぶだけでなく、ひどい場合には「とにかく、このトレーニングを続けなさい」という精神論になっていることさえあります。

また、一方で、今は脳科学の専門家以外でも、本のタイトルに軽々しく「脳」をつけるなど、根拠もないままに脳が論じられている状態です。

こうした著書に目を通すと、脳をテーマにしていながら、心理学的な側面からしかアプローチしていないものもあります。

いずれにしても、今の「脳トレ」に欠落しているのは、「自分の脳に合った方法で鍛える」という視点でしょう。これは、言い方を換えれば「本来の自分をみがく」ということでもあります。

脳を鍛え、あるべき姿にデザインしていくためには、このことを自覚すべきだと思います。

私はある時期から、本当の意味での「頭のいい人」になることと、自分を知ることはつながっているのではないかと考えるようになりました。

自分を知るとは、自分の「脳」と向き合うことでもあります。

では、自分の脳と向き合うには、どうすればいいのか。

そのために必要なのが、次にご説明する「脳番地」という発想なのです。

脳の力がグンとアップする「脳番地」という考え方

●〝脳番地〟とは何か

脳を正しく鍛えるには、「脳番地」という発想が必要だと述べました。

「脳番地」とは、私が提唱している概念です。

聞き慣れない言葉でしょうから、少し説明が必要でしょう。

脳には1000億個を超える神経細胞が存在しています。

このうち、同じような働きをする細胞同士が集まり、脳細胞集団を構成しています。

そして、この細胞集団は、それぞれの働きによって脳内に「基地」を持っています。

思考に関わる細胞集団はA地点、記憶に関わる細胞集団はB地点、運動に関わる細胞集団はC地点……といった具合です。私たちが何か行動を起こすときには、多くの場合、この脳細胞集団が複数で連携して働いているのです。

そして、この脳細胞集団と、その細胞集団がよりどころとしている基地のことを、私は

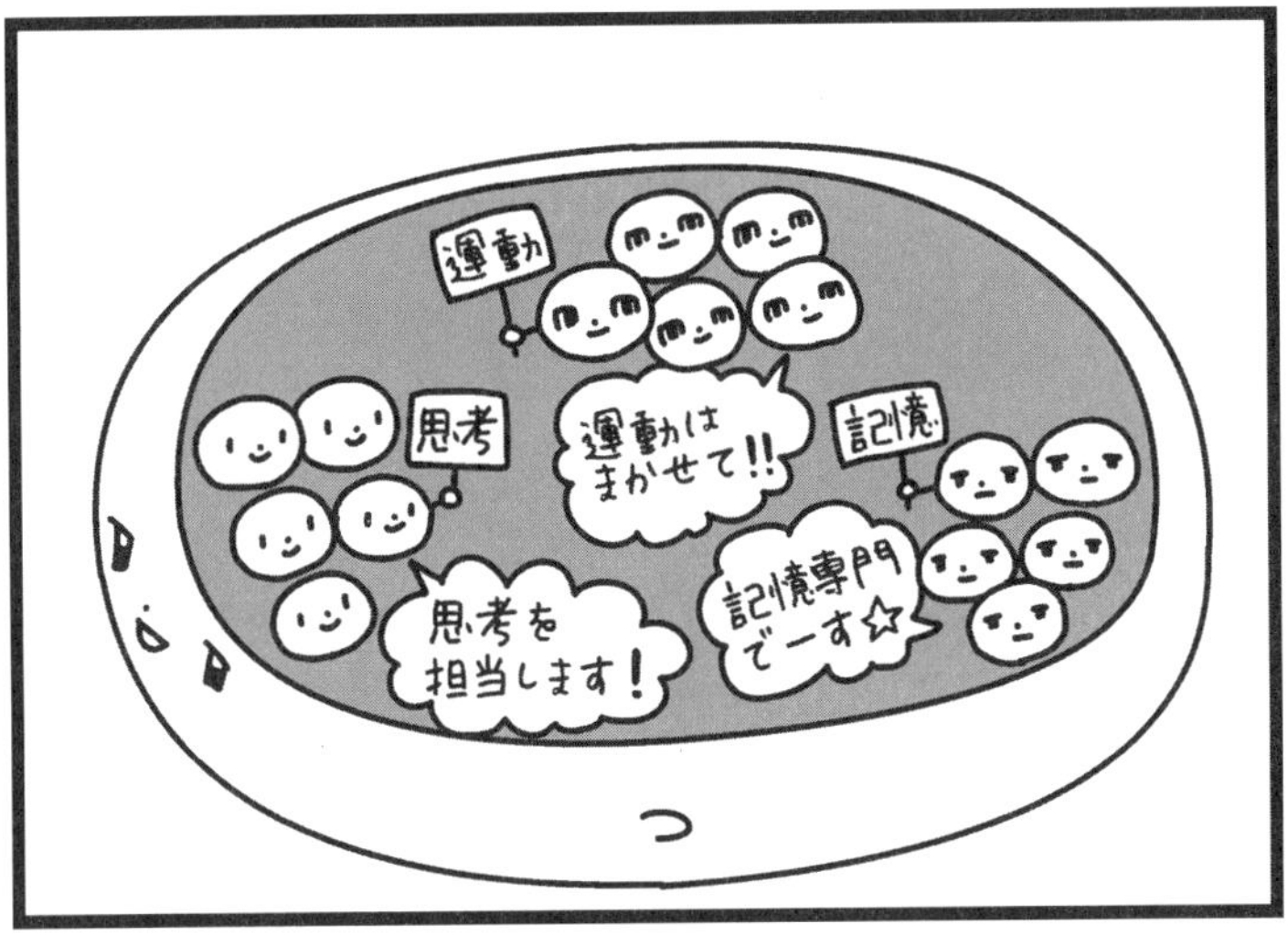

「脳番地」と名付けました。

わかりやすく言えば、場所によって働きが異なる脳を1枚の「地図」に見立て、その働きごとに「住所（番地）」を割り振ったというわけです。

こうしてできた脳の「地図」には、実際に番号を割り振りました（↓27ページ）。

その結果、脳全体を左脳・右脳でそれぞれ60ずつ、合計120の脳番地に分けることができたのです。この分類を使えば、20、38番地は記憶、44、45番地はコミュニケーション、39、40番地は理解というように、各番地がどの機能に対応しているかが明確になります。

ただし、左右の脳に同じ番号がありますが、それらはまったく同じ働きをするわけではありません。また、120の脳番地は、大半が「大脳」に属しています。その他に、脊髄《せきずい》や小脳、脳幹なども脳番地を形成していますが、これらの部分にはアルファベットを割り当てています。

なお、脳番地の番号（番地）がそれぞれどのような機能と対応しているかについては、本書では詳しくふれません。ご興味があれば、拙著『脳番地を鍛える』（角川SSC新書）などをご覧ください。

●脳番地の原型は18世紀のウィーン

「脳番地」の発想自体は私が生み出したものですが、その原型である「脳は場所ごとに機能が決まっているのではないか」という考え方は、約250年前に存在していました。

250年前というと、時代は18世紀、モーツアルトが活躍していた時代です。

ちょうどそのモーツアルトが活躍していたのとほぼ同時期に、同じウィーンに住んでいたドイツ人医師のフランツ・ガル博士は、頭蓋骨に興味を持ったことから、やがて脳にも関心を持つようになります。そして、「この部分は社会性に関係する」「ここは本能的な部分に関係する」と脳の働きが場所ごとに異なることを知ったのです。

当時は顕微鏡も普及しておらず、もちろん生きている人の脳を解剖することもできない

脳番地はどのように分布している？

脳を左側から見た断面図

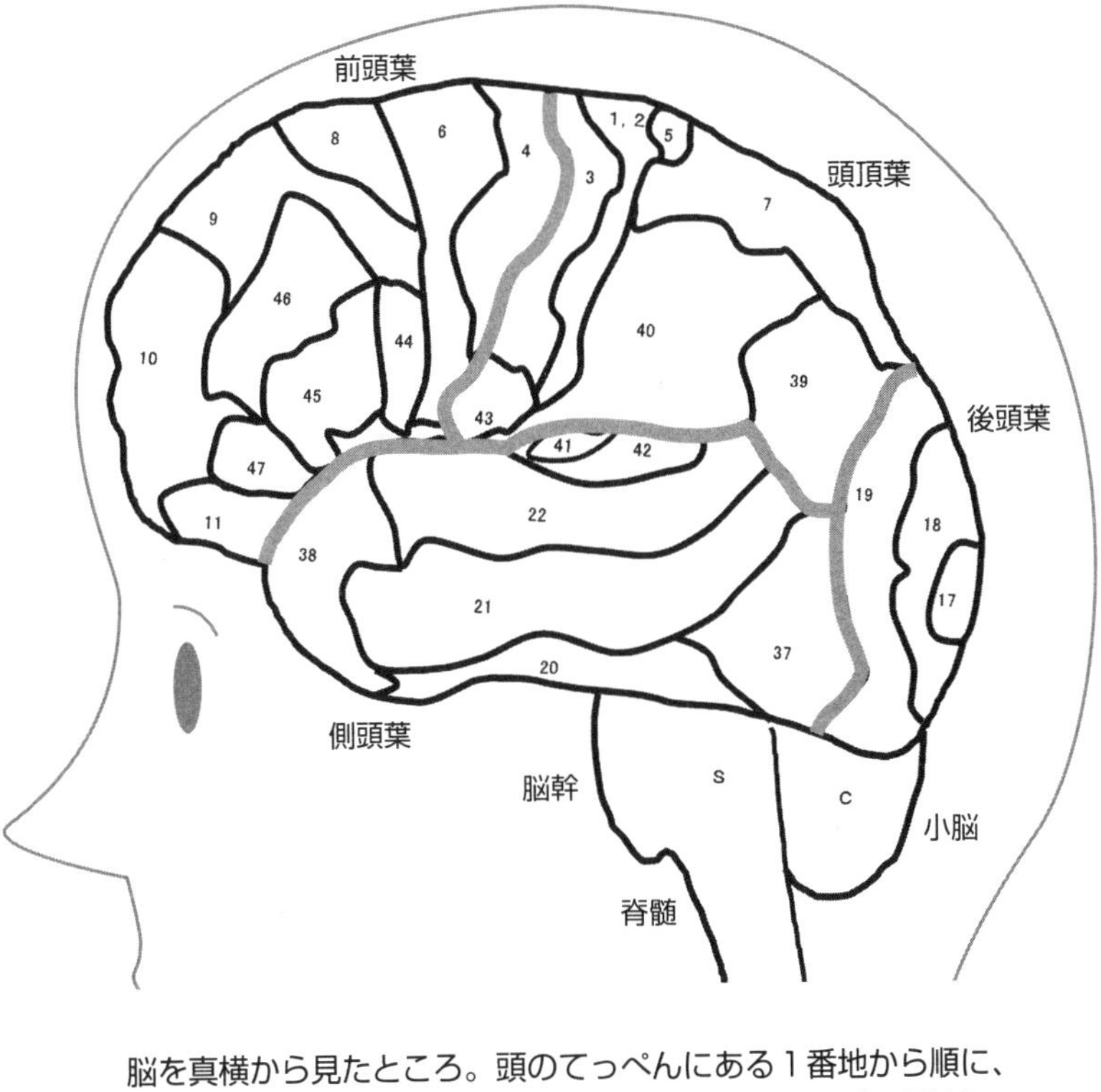

脳を真横から見たところ。頭のてっぺんにある1番地から順に、機能ごとに番号が振られている。この他に、海馬（H番地）、扁桃体（A番地）、嗅内皮質（E番地）、視床（T番地）などにも番地があり、すべてを足すと脳は120の番地に分けられる。

ので、脳を研究するにも表面だけしか見られない状態でした。

しかしガル博士は、自ら生み出した「骨相学」（頭蓋骨の形から精神的能力や性格を診断する考え方）をもとに脳を見ていくことで、脳が場所ごとに異なる役割を持つことを理解したのです。結局、彼の主張は周囲には受け入れられず、ウィーンの学会を破門されるという苦難を味わいますが、フランスに渡って講演を繰り返したことで、「脳の働きが場所ごとに異なる」という考えは徐々に浸透していきました。

さらに時代は進み、今から約１００年前には、ドイツ人の解剖学者・ブロードマン博士が、脳の表面にいくつもの細胞集団が形成されていることを発見します。

現在も「ブロードマンの脳地図」として知られるこの発見により、初めて細胞集団ごとに明確な区別がつけられ、「脳番地」の元となる考え方が生まれたのです。

●脳番地は「つながる」ことで強くなる

他の細胞と同様、脳の神経細胞も年々減っていき、年齢を重ねるごとに老化していきます。しかし、この神経細胞は複数の脳番地をネットワークでつなぎ、そのネットワークは年々成長していくことがわかりました。

たとえ老化によって細胞が減っても、脳番地の連携が進めば、神経細胞同士のつながりが強くなるため、脳の機能は強化されていきます。このように、脳番地同士のつながりは、脳の働きにとって重要な意味を持っているのです。

●脳番地は8つの種類に分けられる

脳には全部で120の脳番地が存在すると、先ほど述べました。
この120の脳番地を機能別にくくると、次の8系統に分けられます。

①思考系脳番地……人が何かを考えるときに深く関係する脳番地
②感情系脳番地……喜怒哀楽などの感情を表現するのに関与する脳番地
③伝達系脳番地……コミュニケーションを通じて意思疎通を行う脳番地
④理解系脳番地……与えられた情報を理解し、将来に役立てる脳番地
⑤運動系脳番地……体を動かすこと全般に関係する脳番地
⑥聴覚系脳番地……耳で聞いたことを脳に集積させる脳番地
⑦視覚系脳番地……目で見たことを脳に集積させる脳番地
⑧記憶系脳番地……情報を蓄積させ、その情報を使いこなす脳番地

これらは、いずれも左脳、右脳の両方にまたがっています。

この8系統の中で、他の脳番地に最も大きな影響を与えるのが思考系脳番地と感情系脳番地です。

とくに感情系脳番地は、脳の「前頭葉」に位置し、かつ「海馬」を含めた記憶系脳番地のすぐ前にあることから、その人の人柄を決定づける重要な役割を担っています。

前頭葉は目的や意思に基づいて指示を出す部分なので、感情系脳番地をうまく使いこなせば、深く考えたり、自分にとって必要ないと判断した情報をシャットアウトすることができます。

一方、海馬は人間の記憶に深く関わっているため、喜怒哀楽の感情をあらわにすると、記憶にダイレクトに影響します。「映画を観て深く感動した」あるいは「失礼な対応に強い怒りを感じた」など、感情を大きく揺さぶられた出来事ほど記憶に残るのはそのためです。

感情系脳番地は思考系脳番地をもコントロールし、考えようとする行動を抑制するほどの影響力があることから、非常に繊細な脳番地だと言えます。

感情系以外の脳番地に目を移すと、思考系脳番地・伝達系脳番地・運動系脳番地は、それぞれ前頭葉の周辺に集まっており、「〜したい」という自発的な考えや行動を促す脳番地です。一方、脳全体でも比較的後方に位置する理解系・聴覚系・視覚系・記憶系の脳番

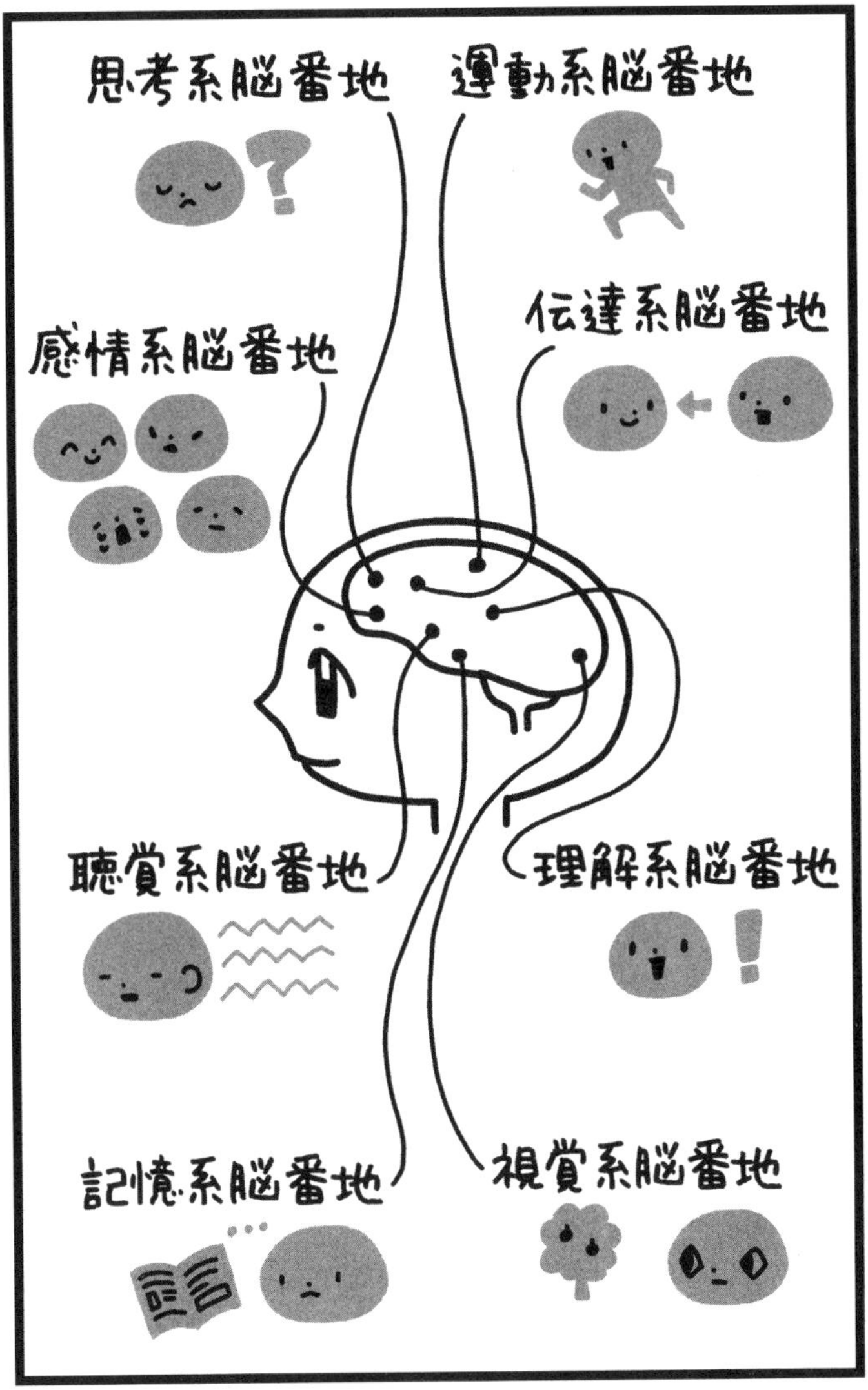
思考系脳番地
運動系脳番地
伝達系脳番地
感情系脳番地
聴覚系脳番地
理解系脳番地
記憶系脳番地
視覚系脳番地

地は、いずれも自発的な考えや行動を起こすための情報をインプットする脳番地です。この4つの脳番地を通して入ってきた情報は、考えたり理解したり、記憶することの「材料」になることから、他の脳番地と比べると受身的な傾向があります。

これらの脳番地をいかに使いこなすかによって、自発的な人間になるか、それとも受身的な人間になるかが決まるのです。

●脳番地の成長は「枝ぶり」で決まる

脳は「脳番地」という形で機能ごとに分けられ、その脳番地には8つの種類があるということがわかりました。では、この脳番地が「成長する」とは、どういうことなのでしょう。

大脳にある脳番地は、神経細胞の集まる「皮質」と、神経線維が集まる「白質」で構成されています。この神経細胞、神経線維が成長すると、左の図のように白質が太くなり、それに合わせて皮質の表面積が広がっていきます。この変化の様子は樹木の枝の伸び方と似ているため、私は「脳の枝ぶり」と呼んでいます。

MRIで生まれたばかりの赤ちゃんの脳を見ると、脳番地の枝ぶりはほとんど発達しておらず、せいぜい運動系脳番地の「枝」が細く確認できる程度です。

しかし、子どもから大人に成長する過程で、それぞれの脳番地は多くの情報を得て枝を

脳番地はどのように成長するか

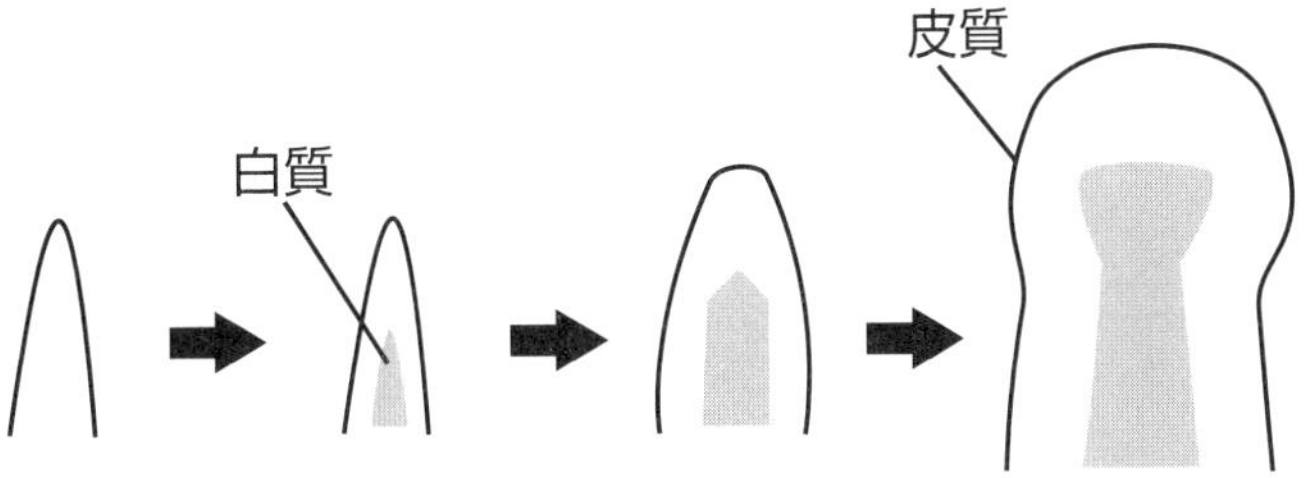

白質が発達すると、同時に皮質の表面積が広がっていく。
この成長の過程は樹木が枝を伸ばす様子に似ている。

発達させ、他の脳番地とつながるためにどんどん伸びていきます。

また、数ある脳番地の中でも、さまざまな情報を吸収して経験を積み、使い込まれた脳番地の枝ぶりは次第に太くなります。

このように、脳番地は情報を得ることによって成長していきますが、その成長の順序や成長の形（枝ぶりの太さ）は人によって異なります。

これが脳の「個性」なのです。

「脳は誰もが同じ形なのに、どうして人それぞれ考え方が違うんですか」という質問を受けることがありますが、これまでその理由は、育った環境や頭の使い方の差だと考えられてきました。もちろん、そうした要因もありますが、それ以上に「脳の育ち方」が大きく影響していたというわけです。

●脳番地は組み合わせて鍛えられる

脳番地の枝ぶりを太くするには、たくさんの経験を積んで、使い込むことが必要です。ただ、だからといって、1度経験したことを何度も繰り返すだけでは、それ以上の成長は見込めません。

数学の成績を上げたければ、1度解いた問題を繰り返し解くのではなく、まったく新しい問題に挑戦したほうがいいと言われますが、それと同じことです。

とくに、よく使っている脳番地には、それまでに直面したことのない「新たな経験」が必要なのです。

また、先に述べたように、脳番地は別の脳番地とつながろうとする傾向があります。

たとえば、相手の話を聞きながら何かを考えているときは、聞く役割を担う聴覚系脳番地と考える役割を担う思考系脳番地がつながっている状態です。

同じように、本の文章を目で追いつつ、考えを巡らせている間は、視覚系脳番地と思考系脳番地がつながっています。

音楽を聴いて楽しい気分になったときには聴覚系脳番地と感情系脳番地がつながってい

「休眠中」の脳番地

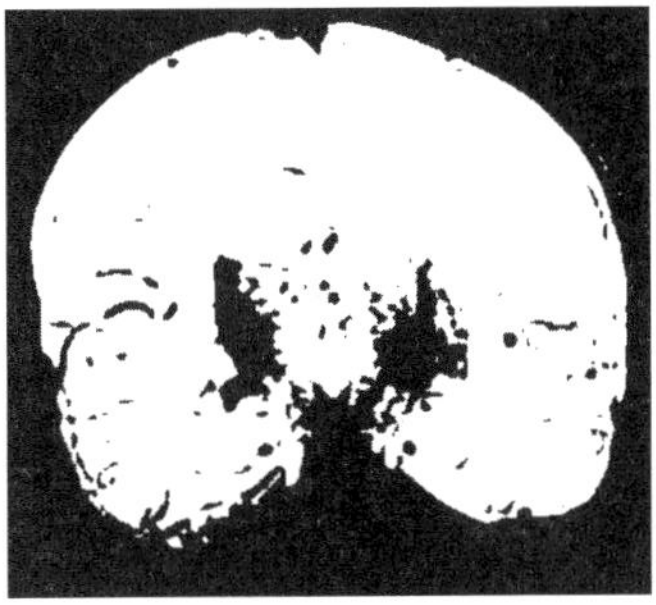

新生児の脳画像

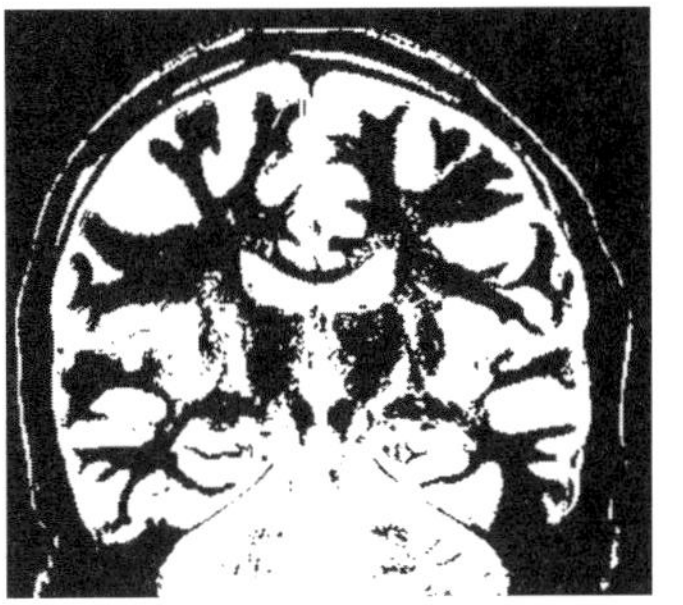

23歳の脳画像

白くなっているのは「休眠中」の脳番地。この中には
成長の可能性を秘めた潜在能力細胞が存在する。

ますし、曲に合わせて歌えば「口を動かす」という運動をつかさどる運動系脳番地につながることにもなります。

このように、脳の働きは脳番地同士の連携によって成り立っています。この連携をうまく応用すれば、脳番地を組み合わせて鍛えることができるのです。

●眠っている脳番地を刺激せよ

先ほど述べたように、脳のMRI画像を年代別に見ていくと、生まれたばかりの赤ちゃんの脳は枝ぶりがほとんど発達していません。上の画像からもわかるように、多くの部分が白くなっている状態です。

やがて、枝ぶりは成長するにつれて太くなり、もともと白かった部分は黒い枝で覆われるようになります。一方、成人の脳の画像を見ると、ほとんどが黒くなっているものの、一部で白い部分が残っていることがわかります。

実は、この白い部分は「休眠中」の脳番地なのです。

問題は、この休眠中の脳番地をどう鍛えるか――。

休眠中の脳番地には、成長に必要な情報が得られていない、未熟な神経細胞がたくさんあります。私はこの細胞を、成長の可能性を秘めているという意味で「潜在能力細胞」と呼んでいます。

この潜在能力細胞に刺激を与え、今まで発揮されなかった能力を開花させるには、まず「遊ばせている脳番地がある」という自覚を持つことでしょう。

人間は、生活のパターンや思考の方法がそれぞれ違いますから、どの脳番地をよく使っているかは、人それぞれ異なります。

たとえば営業マンの場合、仕事中は人と多く会話をするので、言語力を担う脳番地を酷使している状態です。しかし、逆に言えば、それ以外の脳番地はあまり使われていません。

こういう人は、仕事を離れたら、言語以外の脳番地を鍛えるべきです。

一方で、あまり人と話さず黙々とデータを打ち込むような仕事をしている人は、プライベートでは言語を駆使する脳番地を刺激する必要があるでしょう。

普段どんな仕事をしているのか、何に一番頭を使っているのかを考えれば、自分が鍛えるべき脳番地がどこなのか、わかってくるはずです。

●脳のコンプレックスを見直そう

眠っている脳番地を刺激するうえで大切なのは、「脳のコンプレックス」を解くことです。脳のコンプレックスとは、普段の生活のなかで苦手意識を持っている能力のこと。たとえば「言いたいことをうまく伝えられない」「よく道に迷う」「人の名前をすぐ忘れる」「リズム感がない」などが、これにあたります。

なぜ、苦手かと言えば、その能力を発揮するための脳番地が「休眠中」だからです。脳番地が使われない理由は、「そもそも使うような場面がない」「ストレスを感じるのであえて経験すること自体を避けている」などさまざまな理由があるでしょうが、いずれにせよ十分に脳番地が働いていないことには変わりありません。

なかでも多くの人が抱えているものに、「自分は頭が悪い」というコンプレックスがあります。なぜ、こうしたコンプレックスが生まれるのかといえば、学校教育の中で「学校の成績が悪い→頭が悪い」と思い込まされているからでしょう。

スポーツなど勉強以外の分野で実力が発揮できるといいのですが、それが実現されないと、「どうせ何をやってもダメだから」と、何事に対しても消極的になってしまいがちです。

私から言わせれば、それは大きな間違いです。

仮に学校の成績が優秀だったとしても、その人の脳番地がすべて優れているわけではありません。むしろ「学校の成績が良い」という慢心が、社会に出た後で大きな失敗に結びつくことさえあります。

しかし、日本の学校教育においては、あくまでも勉強の成績だけを重視し、それ以外の能力を軽視する傾向にあります。そのため、感性や行動力をみがく脳番地が使われず、ほとんどが休眠状態になってしまうのです。これは、実にもったいないことです。

脳には「伸びたくない」と思っている場所などひとつとして存在しません。にもかかわらず、「何をやってもダメだから」とあきらめてしまうのは、脳番地に入ってくる情報を自ら断ち切って、成長を妨げてしまうことになるのです。

脳のコンプレックスを見直して、自分の脳の可能性を信じてあげてください。

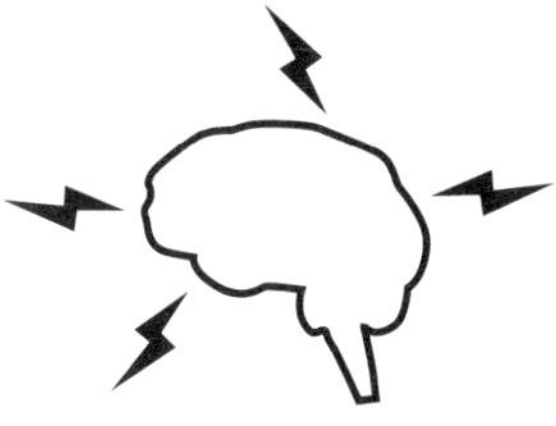

脳番地を刺激する3つのポイント

ここまで、脳のしくみと「脳番地」という概念について解説してきました。

次の章からは、いよいよ８系統の脳番地を強くするトレーニングを紹介していきます。

では、実際に脳のトレーニングをする場合、どんなことに気をつければいいのでしょうか。

実は脳を効果的に鍛えるためには、いくつかのポイントがあります。

ここでは、そのポイントを３つご紹介しましょう。

ポイント① 日常の習慣を見直す

まずひとつ目は、日常生活を見直すこと。

これは、知らない間に身につけていた「習慣」を見直すことにもつながります。

たとえば、１日２０００円の食費で過ごしていた人が、急に「１０００円で過ごせ」と言われたらどうでしょう。難しいと感じるのではないでしょうか。

なぜかといえば、その人は日常的に2000円の食費で過ごすことに慣れてしまっているからです。

それまでは「このレストランで食事をしたら、予算を超えそうだからやめよう」「この弁当は498円か。だったら買っても大丈夫だな」と考えながら行動しており、これを毎日繰り返すことで、2000円以内で食事をすることが「習慣」になっていたわけです。

ところが、予算が1日1000円になれば、それまでの生活を振り返って、何らかの工夫をしなければならなくなるでしょう。

外食中心の生活だったとすれば、自炊中心の生活に切り替えるでしょうし、買い物に行ったときに1品多く買う傾向があれば、買い物の回数を減らすかもしれません。

大事なのは、このように生活習慣をほんの少し変えて、脳番地に「揺さぶり」をかけることなのです。

それまで偏った脳番地の使い方をしていたとしても、生活習慣を変えて新しい経験をつくり出すことで、眠っていた脳番地が刺激を受けたり、無関係だった脳番地同士がリンクしたりします。

生活習慣を変えることは、それまでの自分をあらゆる角度から見直すことになるだけでなく、自分の脳を点検し、脳の使い方を一新することにもつながるのです。

この「見直し」は、とくにビジネスマンにとって有効です。

よく、「仕事が忙しい」と長時間にわたってダラダラ仕事をしている人がいますが、このようなタイプの人には、脳にとって悪い習慣が身についている可能性があります。

そもそも1日のうちで、仕事に必要な脳番地を使うのが許されるのは8～10時間程度。それ以上の時間を仕事に費やしていると、同じ脳番地を長時間使い続けることになり、その結果、脳が疲弊して作業効率が低下してしまうのです。

長時間同じ作業を続けているような人は、改めて自分の生活習慣を見直し、仕事の一部を誰かに手伝ってもらったり、小休止を取って気分転換を図ったりすることが必要でしょう。

脳を鍛えるには、特別な器具や準備は必要ありません。このように、日常生活をほんの少し見直すことで、使っていない脳番地に刺激を与えることができるのです。

ポイント② 脳の「癖」を知る

2つ目のポイントは、脳の「癖」を知るということ。

何か作業をしている間、手を休めて頬杖をついたり、貧乏ゆすりをしたりと、人はさまざまな癖を持っていますが、同じように人間の脳にも「癖」が存在します。

ただし、脳の癖には2種類あります。

万人に共通する癖と、それぞれの人が持っている固有の癖です。

このうち、万人に共通の癖とはどういうものでしょうか。

ここでは4つの特徴を紹介しましょう。

たとえば「ほめられると喜ぶ」という性質は、脳がもともと持っているものであり、誰の脳にも共通して見られる特徴です。

「君は聞き上手だね」と言われた瞬間、このポジティブな情報に聴覚系脳番地が反応し、ますます聞き上手になろうとします。同じように「話し上手だね」と言われれば伝達系脳番地が、「見る目があるね」と言われれば視覚系脳番地が反応します。このようにほめられることで、脳番地は順調に成長していくのです。

また、「数字でくると認識しやすい」という特徴もあります。

「『脳番地を効果的に鍛えるポイント』を思いつくままに説明します」とダラダラ項目を挙げられるより、「これから『脳番地を効果的に鍛えるポイント』を4つ、順番に説明します」と言われたほうが、理解しやすいのではないでしょうか。

はじめに数字を提示することで、脳は全体像を認識しやすくなるのです。

もうひとつ、デッドラインを設けることで「オン・オフが明確になる」という特徴も。

「今日の4時までに必ず仕事を終わらせる」と決めれば、「どうやって片づけるか」を考えながら、集中して取り組むでしょう。

そして、仕事を片づけ、デッドラインを過ぎた瞬間、脳はそれまでの思考から解放されて別の思考に移行していきます。

このようにデッドラインを設けることで、脳の思考にメリハリがつくのです。

最後の特徴は「睡眠によってパフォーマンスが高まる」というものです。

睡眠中、脳は起きている間に入力した情報を整理し、リセットしています。

ところが眠らずに起きていると、この作業ができません。

眠気を感じながら作業を続けても効率は悪くなる一方ですが、たとえ短い時間でもきちんと睡眠を取れば、それだけ頭の中がシャープになり、高い成果を上げることができます。

以上が、脳本来の「癖」です。

では、人によって異なる「固有の癖」とはどんなものでしょうか。

簡単に言えば、その人がとりやすい「思考のパターン」だと考えてください。

脳は「好き・嫌い」という嗜好に大きく影響されます。

たとえば「マンガを読むのは好きだけど、本を読むのは嫌い」という人がいます。

こういう人は活字から場面を想像するという思考回路が未発達なため、絵を見ながら文章（吹き出し）を読まないと、内容を理解しづらいのです。

人間はどうしても「好きなこと（＝心地良いこと）」を選びたがるものですから、マンガが好きという人は、放っておけばマンガばかり読むことになるでしょう。

これが、その人に固有の「癖」なのです。

「脳の癖」とは、あなたの脳にすでにできあがっている「高速道路」のようなもの。

いつも「通行」している思考の「高速道路」に乗れば、たやすく物事をこなせます。

しかし、道がない（癖ができていない）ことをするには、道路工事から始めなければならないため、時間がかかってしまう。だから、その手間に嫌気がさして、癖づけできていないことは途中でやめてしまうのです。

ただ、この癖づけは絶対に変えられないものではありません。

左の図を見てください。

これはある女性の脳のＭＲＩ画像です。

もともとこの女性は、物事を判断するときに、過去の事例に当てはめて考えすぎる傾向がありました。そう考えるほうが、単純に楽だったのでしょう。

そこで、事実が何を表しているのかを自分なりに分析するように指導したところ、矢印の部分の枝ぶりが著しく発達したのです。

これは、意識の持ち方によって新たな癖をつくることに成功した例と言えるでしょう

脳の癖をMRI画像で見てみると…

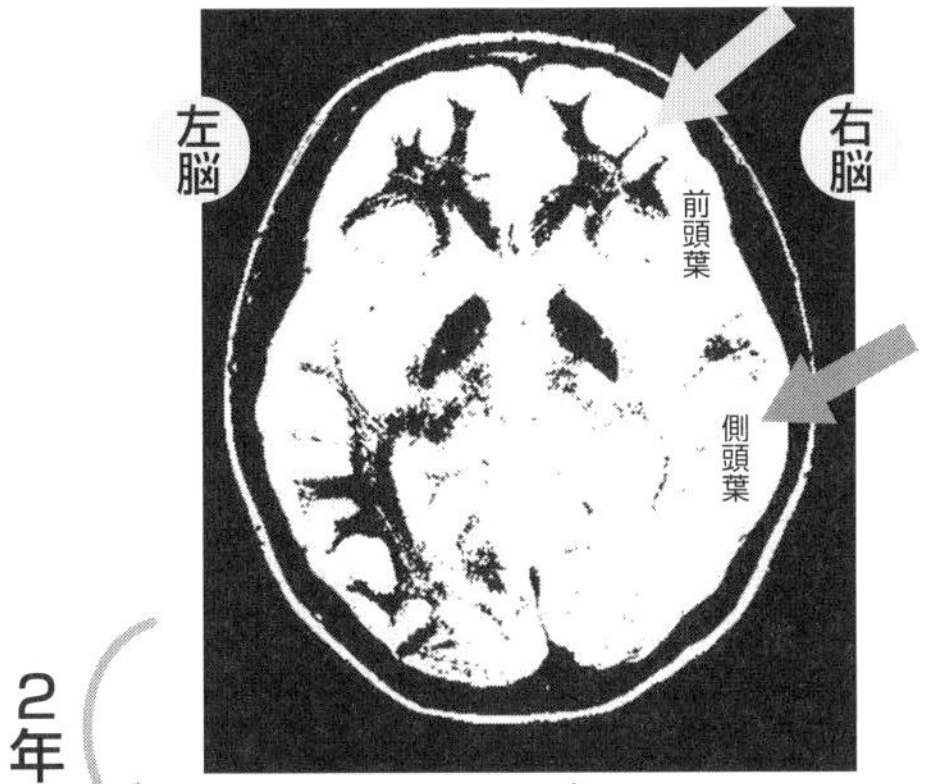

27歳

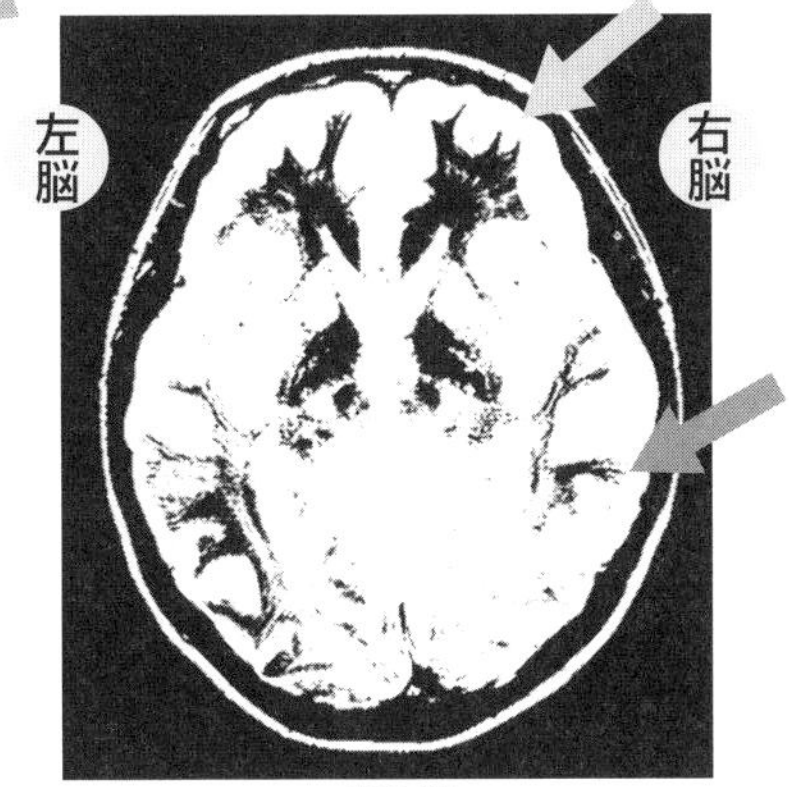

29歳

Aさん（27歳／女性）の脳を真上から見た画像（上）。写真などを見て、そこから何が読み取れるのかを探る訓練を2年間続けたところ、右脳の側頭葉、前頭葉にはっきりした成長が見られた。矢印の部分の「枝ぶり」が豊かになり、思考の「高速道路」がつくられたことがわかる。

脳を効率よく鍛えたいなら、このように自分の脳が持っている癖や特徴をよく知ることです。トレーニングを実践するときは、このことを覚えておいてください。

ポイント③「したい思考」で発想する

多くの人は、会社でも日常生活でも「やるべき（should）こと」をたくさん抱えているのではないでしょうか。

自分にとって「やりたい（want）こと」があっても、それができないほどやるべきことが多すぎると、やがて何事に対しても「やらなければならない」と思いながら行動することになり、結果として常に「やらされている」という感覚に陥ります。

このような受身の状態を、私は「させられ思考」と呼んでいます。

一方、逆の能動的な思考は「したい思考」です。

「させられ思考」に支配されてしまうと、仕事で上司から指示をされても、聴覚系脳番地が受身的になってしまいますし、仕事の資料に嫌々目を通しているうちに、視覚系脳番地も受身的になってしまいます。脳番地を鍛えるときには、この「させられ思考」を「したい思考」に変えることが大事なのです。

その一環として心がけたいのが、情報に自主的にアクセスすること。

何となく情報を得るという姿勢は、受身という点で「させられ思考」です。

一方、自ら情報をキャッチしようとすれば、それは「したい思考」になります。

テレビをつけたときに、たまたま放送していた野球中継を見るのと、「野球を見たい」と思って野球中継を見るのとでは、最初の意識において大きな違いが生まれます。

後者こそ「したい思考」の発想であり、望んでいる情報を自分のもとに積極的にたぐり寄せる考え方です。

ところが前者の「させられ思考」では、流れてくる情報を受動的に取り入れるだけで、一方通行になってしまいます。

脳を鍛えるという行為は、明確な意思のもとに行われるものですから、「させられ思考」では効果は出ないのです。

脳番地には使っていないもの・眠っているものがあることはすでに述べましたが、使っている脳番地は、おのずと「したい思考」になっています。一方、使っていない脳番地は「させられ思考」になっている可能性があります。

自分の脳の習慣を見直し、それぞれの脳番地を「させられ思考」から「したい思考」に変化させなければいけません。

これからご紹介する脳番地トレーニングは、そのためのマインド・チェンジの入口です。

各脳番地に刺激を与え、「させられ思考」を「したい思考」に転換するのです。

この転換ができれば、今までの受身的な自分とはまったく違う、何事にも前向きで積極的な自分が誕生することでしょう。

chapter 2

思考系脳番地トレーニング

脳全体をひっぱる司令塔

思考系脳番地

思考系脳番地は、左脳・右脳それぞれの前頭葉の部分に位置しています。

前頭葉とは、大脳の中心よりやや前方にあり、思考や意欲、創造力など高度な機能をつかさどる部位のこと。ですから、思考系脳番地は、「こうなりたい」と強く望んだり、集中力を強くしたりする機能が集まっているのが特徴です。

左脳側にある番地は、具体的で正確な答えを出すために使われる傾向があります。一方、右脳側は、図形や映像の感想など明確な答えがない場合に働くことがわかっています。

このうち右脳側の脳番地が強く働きすぎると、思考があいまいではっきりとした答えを出せない、優柔不断な人になりがち。逆に左側が強く働くと、物事を既存の知識やフレームに当てはめようとする傾向が強くなるため、融通のきかない人になる可能性があります。

思考系脳番地の中には、意思決定を行う番地（10番）がありますが、脳のＭＲＩ画像を見ると、意思の強い人ほどこの番地の「枝ぶり」が太くなっていることがわかります。

ちなみに、思考系脳番地が発達しやすい職業としては、経営者や学者が挙げられます。

思考系脳番地

とくに経営者は、重要な決断を迫られる分、この番地が発達している人が多いのでしょう。
また、思考系脳番地はその人の将来のビジョンに対応しやすいという特徴もあります。「勝ちたい」「儲けたい」「モテたい」という強い意思を持っている人ほど、その目標を実現するために、理解系・聴覚系・視覚系・記憶系の脳番地に向けて「必要な情報を取りに行きなさい」と、明確な指示を出します。
思考系脳番地は五感をつかさどる脳番地と深いつながりがあるので、具体的な指示を与えると、いい情報が次々に集められ、目標実現が近づくというわけです。
このように考えると、思考系脳番地は「脳の司令塔」的存在だと言えるでしょう。

1
「1日の目標」を20文字以内でつくる

仕事がデキる人の中には、早めに起きて新聞や本を読んだり、メールを書いたりすることを習慣化し、1日の仕事を効率的に進めている人がいます。

しかし、「忙しい時間帯にそんな知的な活動を行う余裕なんてない！」という人もいるでしょう。

そんな人は、朝、出かける前に1日の目標を決め、それを20文字以内で表現してみてください。

たとえば「失敗しても必ず成功するまでやり遂げる（18文字）」という感じです。

この程度なら、まとまった文章をつくるのとは違い、さほど時間はかかりませんから、トレーニングを始めるにあたって、強いストレスにはならないと思います。

それにしても、なぜこれが思考系脳番地のトレーニングになるのでしょうか。

その日の目標を立てるときには、1日のスケジュールを把握したうえで、どの予定を重視すべきか、そして、その予定をどう進めるかについて思いを巡らせるでしょう。

この一連のシミュレーション作業が思考系脳番地を活性化させるのです。

また、「20文字」という制約を課していることにも意味があります。こうした制約が課されると、内容を端的に表現するために適切な言葉を選ぼうとします。この言葉の吟味もまた、思考系脳番地を働かせることになるのです。

なお、このトレーニングが行われるのは朝ですから、効果を上げるには、きちんと睡眠を取っておくことが必要です。

十分な睡眠は頭をクリアにしてくれます。考えがまとまらなくて悩んでいるときに、いったん作業を中止して熟睡すると、頭の中がスッキリしていた、という経験は誰にでもあるでしょう。

現代人の中には忙しさのあまり睡眠不足に陥っている人が多いようですが、これでは脳の機能を十分活かすことはできません。朝から脳をフル活用するためには、やはり十分な睡眠は欠かせないのです。

2 身近な人の長所を3つ挙げる

知人の話ですが、仕事を終えて休憩のつもりでカフェに入ったところ、隣の席に、若い男性と、その親くらいの世代の夫婦が向かい合って座っており、異様に重苦しい空気が流れていたそうです。

知人は隣の席での会話が気になり、聞き耳を立てていたところ、浮気をしてしまった夫が、妻の両親と離婚に関する話し合いをしているところでした。

温厚そうなご夫婦が、娘の夫にだまされたという思いからか、憎しみの目を向けて、「本当に信用できると思っているの？」「それがあなたの誠意なの？」と、何度も男性を責めていたそうです。

浮気が発覚するまでは、夫と義理の両親は、それなりに良好な関係を築いていたのかもしれません。しかし浮気が原因で、妻の両親は「だまされた」という思いが強くなったのだと思われます。

このように1度関係がこじれると、相手の悪い面しか見えなくなってしまうもの。それ自体は仕方のないことかもしれませんが、人に対する見方が一面的になり、相手の特徴をとらえようという努力がなくなるのは残念なことです。

そこで、夫や妻、仲のいい友人、あるいは会社の上司や同僚など、身近な人の長所を3つ挙げるトレーニングをしてみましょう。

このトレーニングは、相手の「人となり」について深く考えられるだけでなく、相手の評価を見直すことで、自分の思考を転換できるという特徴があります。

日頃、人と接していて、イライラしてしまうことは避けられません。しかし思考転換の技術さえ身につけておけば、感情に流されてしまう事態を最小限に抑えることができます。

また、このトレーニングでは「3」という数字が重要なポイントになっています。

あらかじめ数字が決められていると、普段印象が悪い人に対しては、無理にでも3つの長所を探そうとするでしょう。

「あの人は失言が多いことで嫌われているけど、仕事は最後まで責任を持ってやるし、服装に清潔感がある。それにマンガの話題になると話が弾むんだよな」という具合です。

このように、無理に探し出そうとする試みが、思考力を鍛えることにつながるのです。

3 「絶対ノー残業デー」をつくる

週に1日、絶対に残業しない日を決めて、それを実行します。

このトレーニングの狙いは、仕事を強制的に終わらせる状況をつくることです。

一番いけないのは、このような状況設定をしないまま、ダラダラと仕事を続けること。同じ仕事を続けていると、常に同じ脳番地を使っているので、思考がうまく切り替わりません。結果として、どうしても作業効率が落ちてしまいます。

しかし、仕事の終了時間を明確にし、そこから別の行動を起こせば、違う脳番地が使われますから、思考をうまく切り替えることができます（これを本書では「脳番地シフト」と表現します）。

このように仕事上の区切りを意図的につくり出すことは、自分の能力をアウトプット（出力）するうえでも大いに効果があります。

思考系脳番地において、アウトプットの役割を担うのは左脳の脳番地。一方、右脳の脳番地には優柔不断な一面があり、時間や数字による区切りをつくらない限り、思考がグルグル同じところを回り続けてしまうという特徴があります。

小学生の頃、夏休みに作文の宿題が出ると、誰でも「早く片づけてしまおう」と思ったはず。ところが、いざ書き始めると文章自体が出てこなくなり、そのままズルズルと夏休みの終わりになってしまった……。そんな経験をした人は少なくないでしょう。

なぜそうなるのかと言えば、明確な時間設定もないのに、「書こう」という思考だけが延々と右脳の中を巡回し続けるからです。

ところが夏休みの終わりが近づき、いよいよ書かなければならない状況になると、不思議とスラスラ文章が出てくるものです（いい文章かどうかは別として）。これは、自分自身に明確な期限（制限）を課しているからに他なりません。

期限が設定されると、それまで右脳の中を旋回していた思考に、アウトプットを担う左脳が加担します。「2学期の最初の日」というデッドラインまでにやるべき作業を逆算し、アウトプットを続けた結果、期限内に作文が完成するというわけです。

思考を右脳で遊ばせながら内容を詰めていくのも大事ですが、時間に余裕がない状況では、とにかく締め切りを設定して作業を進めるべき。

その能力を養う第一歩として、この「絶対ノー残業デー」を設けるトレーニングを試してみてはいかがでしょうか。

4 ゲームでわざと負ける

人間はもともと、「勝ちたい」「人の上に立ちたい」という意思を強く持っています。

過去を振り返ってみても、人類の歴史は競争の歴史ですし、現代においてもライバル企業同士のシェア争いから、電車内の空席探しに至るまで、私たちは常に誰かと競争せざるを得ない状況にさらされています。

誰よりも充実した生活を得たいなら、「勝ちたい」と考えるのは当然のことなのかもしれません。

人が「勝ちたい」と考えるのは、娯楽でも同じです。

ゲームをするときには、当然誰もが相手に勝つつもりで勝負に臨むでしょう。

そこで、わざと「負ける」ようにゲームに挑戦してみてください。

たとえば、じゃんけん。

以前、テレビのある番組で、相手がグー・チョキ・パーを出した後、必ずそれに負けるようにじゃんけんをするというゲームが行われていました。

面白いことに、相手がグーを出しているのに、思わず出るのはチョキではなくパー。これは「勝ちたい」という思考が脳に強くインプットされているため、たとえ後出しじゃんけんであっても「負ける」という思考が働かなくなっているのです。

また、ゲームの中でも囲碁や将棋は、相手の次の手とそれに対する対処法を考え、何手も先を読むことで勝敗が決まる競技です。

ですから、囲碁や将棋をたしなむ人に言わせれば、「負けることを前提に打つのは、相当な実力者でなければできない」のだとか。

常に勝つための最善の手ばかり考えているため、逆に「負けるための一番悪い手」を打つという発想がないのだそうです。

このように、わざと負けるようにゲームをすると、自分が置かれている状況を異なる立場からとらえる力が身につきます。

この明らかな視点の移動が、思考系脳番地を幅広く使うことになるのです。

5 自分の意見に対する反論を考えてみる

我々医者は、患者さんを治療するときには、必ず最悪の事態を想定します。

医者にとっての最悪の事態とは患者さんが亡くなることであり、あってはならない事態であることは言うまでもありません。

これを防ぐために、医者はまず、「どの方法をとれば最悪の事態にならないか」を考えることから始めます。治療を施した際に起こり得るリスクを想定し、それらをクリアしたうえで、次第に「この方法なら必ず治る」という思考に移っていくのです。

逆に「この方法なら治るだろう」という見込みから出発すると、不測の事態に対応できず、最悪の事態に陥るかもしれません。治療すれば９割方治る状況でも、医者は残る１割の立場で正反対の意見をぶつけながら、治る確率を１００％に近づけようとするのです。

これは何も医者に限ったことではないでしょう。

あらゆる仕事において、「自分はこう思う」という確固たる意見を持っていたとしても、正反対の意見を同時に検討するのは大事なことです。正反対の意見によって自分の意見を別の角度から見ることになりますから、結果として説得力が生まれるのです。

この作業を行うと、視野が広がります。自分の考えに自信を持っていると、そこに固執してしまい、視野が狭まることもしばしばですが、あえて反対意見を立てることで、自説に縛られることを未然に防ぐことができるのです。このように、複数の意見を自分の頭の中で戦わせると、思考系脳番地が非常に働きやすくなります。

以前、これを裏付けるような話を聞きました。現在、経営者として成功している人たちの多くは、新聞記事やテレビのニュースを見ながら、解説やコメンテーターの意見とは逆の視点から考えることを習慣にしているということでした。

会社経営においては、自分の下した決定に幹部が異論を唱えてくることもあるため、彼らを納得させるための訓練として、シミュレーションを行っているのでしょう。

このように、さまざまなシチュエーションを設定したうえで思考することを、私は「思考実験」と呼んでいます。

思考実験は物事をいろいろな角度から見られるため、脳に強い刺激を与えてくれます。思考のパターンをできるだけダイナミックに変化させて、普段使っていない脳番地にいい刺激を与えましょう。

6 寝る前に必ず3つのことを記録する

あまりに仕事が忙しいときに、「先週の水曜は何をしていたの？」と聞かれても、すぐに思い出せないことがあります。

同じように、朝から深夜まで仕事をする生活を何日も続けていると、曜日の感覚がなくなることがありますが、こういうときは1日の総括ができていないのです。

1日の総括をするには、寝る前にその日の出来事を振り返る時間を設けましょう。といっても、時間はほんの数分で構いません。

何をどう振り返ればいいのかわからない人は、1日を振り返って「一番楽しかったこと」「一番大変だったこと」「やり残したこと」を3つ挙げ、記録すればいいのです。

仮に、最も大変だったこととして、「いつもなら30分で終わるはずの仕事が、1時間もかかってしまった」ことを挙げたとします。

その場合は、なぜ1時間もかかってしまったのかという原因を探るでしょう。

そして、「いつもは5分間の休憩を挟むのに、今日はしなかった」と気づいたとしたら、

次からは必ず休憩を取ろうとするはずです。

また、作業時間が延びて疲れてきたために、仕事がすべて終わらなかったという場合、翌日はその残りの仕事から始めるべきか、あるいはいつも通り仕事を始めて、余裕ができたところで前日の仕事をやるべきか、などと考えることもできます。

逆に、普段は1時間かかる作業が30分で済んだなら、いつもと違った点を探して、明日以降も同じ結果を出すにはどうすればいいのか、考えるでしょう。

寝る前にこうした振り返りを行うと、たとえそれがわずかな時間でも頭の中が整理され、思考系脳番地が活性化されるというわけです。

7 休日の行動計画を他人に決めてもらう

以前、甥《おい》っ子のリクエストで「ポケットモンスター」の映画を観に行ったことがありました。普段の私は自分が観たいと思った映画にしか行かないため、そのときは、「この歳になってポケモンかァ」と、気が重くなったことを覚えています。

しかし、実際に映画が始まると、それまで気が進まなかったのが嘘のように、すんなりと映画の世界に入っていけました。

それどころか、重要な発見があったのです。

その映画は映像が激しく切り替わるものでした。

それまで私は、自分が視覚的な情報を分析し、処理する能力が高いと思い込んでいたのですが、映像が切り替わるスピードに自分の脳がついていけないことに気づいたのです。

それは驚くべき発見でした。動体視力がいつの間にか低下していたのです。

このことに気づいただけでも、大きな意味がありました。

もともと観るはずのない映画を観た結果、普段しないようなことを体験し、それまで気づかなかったことが見えてきたのです。

このように、家族や友人、彼氏・彼女など、「他人」に予定を決めてもらって、その通りに行動することは、思考系脳番地を鍛えるトレーニングになります。

たとえば旅行のプランを立てるとしましょう。目的地に長く滞在するタイプの人なら、できるだけ長時間電車で移動するプランを立ててみるのもひとつの手。

「電車にずっと乗っているなんて嫌だ」と思うかもしれませんが、実際に旅してみると、車窓から見える景色や、車内の人たちとのふれ合いなど、予想外の発見があるものです。

このように、人に予定を決めてもらうということは、言い換えれば「思考パターン」を人に委ねるということです。その結果、自分だったら絶対に選択しないような場所に行ったり、予想もしなかった行動を取ることになるでしょう。その意外性が、眠っていた脳番地を強く刺激するのです。

私たちは日常生活においても、つい「使いやすい」脳番地ばかりを使ってしまう傾向がありますが、あまり良いことではありません。同じ脳番地ばかり使っていると、特定の部分に負担がかかり、ひどく疲れてしまうからです。

その意味で、身近な人に行動計画を立ててもらい、普段使わない思考パターンによって動くことは、脳番地シフトによって脳の働きを高めることにつながるのです。

8 必ず10分間の昼寝をする

何か企画を出さなければならないようなとき、ひたすら考え続けていても名案は浮かびません。それどころか、時間とともに脳が疲れ、思考力が鈍っていくだけ。

より効率的に考えるには、時間を区切って思考を切り替えることが必要です。

しかし、思考を完全に切り替えるのはそう簡単なことではありません。

「休憩すればいい」という人もいますが、脳のメカニズムからすると、それだけでは十分とは言えないのです。

思考をうまく切り替える、最もシンプルな方法。

それは、いったん休憩を取って眠ることです。時間は10~15分で構いません。

「一度寝てしまうと、それまでのペースが取り戻せなくなるのではないか」と心配する人もいるでしょうが、実は短く時間を区切って眠ったほうが仕事ははかどります。

たとえ10分でも睡眠時間が取れれば、その間は脳を完全に休ませることができますし、何より自分の思考をオンからオフに強制的に切り替えることができます。

考えが煮詰まってきたら、10分だけ眠る。この訓練を重ねるだけで、思考のスイッチングが簡単にできるようになります。

もし、思考の切り替えがうまくできないと、脳の血圧が上がったままになり、パニックを起こしやすい状態が続いてしまいます。結果として睡眠不足、ひどくなると不眠症に陥る可能性があります。不眠症は、特定の脳番地を使いすぎて、緊張状態から脱力状態にスムーズに移行できないことも原因だと考えられます。

こうならないためにも10分間の昼寝を心がけて、脳の「オン」と「オフ」を意識的に切り替えましょう。思考をコントロールし、脳の機能を高めるためにも、睡眠によって脳の血圧を下げることはとても大事なのです。

9 足・腰のツボをマッサージする

もし、仕事中や勉強中に虫歯が急に痛み出したら、あなたはそれまでと同じだけの集中力を維持できるでしょうか。おそらく、歯の痛みが気になって、他のことには集中できなくなるでしょう。

では、なぜ、集中力が低下してしまうのでしょうか？

脳には「超前頭野」という部分があり、複数の物事を同時に行う場合、この場所にいったん情報が統合されます。歯が痛み出すと、この「超前頭野」に送られる血流が一気に増大し、それだけ意識レベルの比重が増します。その結果、脳は多くの血流が送られてきた部分に意識を集中させるようになり、他の部分に注意を払えなくなります。

これはちょうど、脳が「歯の痛みに意識を集中させろ！」と命令しているような状態です。ですから、歯以外に意識を傾けられなくなるのは当然でしょう。

もちろん、これは歯の痛みに限ったことではありません。病気やケガをしていると、同じ理屈で患部に意識が集中することになります。

また、肩コリやかゆみなど、病気やケガほど深刻ではない体の違和感に対しても、意識が問題の部分に集中し、思考力が落ちてしまいます。

そこで、思考力を健全に保つためにも、足や腰のツボをよくマッサージすることをおすすめします。

足・腰のツボをマッサージすることと思考系脳番地を鍛えることは、一見無関係のように思えるかもしれませんが、脳の負担を減らし、集中力を高めるという意味では、非常に有意義な作業なのです。

マッサージと同様、きちんと入浴することも大事です。

身体的な緊張から、無意識のうちに超前頭野に負荷がかかっていたとしても、入浴によって、その負荷はかなり軽減されます。

体がスッキリした状態で脳を使えば、負荷がかかる前よりずっと集中しやすくなるはず。

忙しさのあまり、入浴を怠る人がいますが、これはより良い思考の妨げになります。

多忙なときほど、マッサージや入浴で体をリラックスさせることが必要なのです。

脳コラム

勝負に強い脳をつくるには？

ここぞという勝負のときに、どうしても実力を発揮できない人がいます。普段の練習では満足のいく結果を出しているのに、なぜか本番ではうまくいかない……。

そういう場合、よく「精神力が弱いからだ」と言われます。では、この「精神力の弱さ」を「脳番地」の観点から説明することはできるのでしょうか。

勝負の場面でいつも実力が出せないのは、“ある脳番地”がうまく働かず、「右往左往」してしまうからです。

それは、思考系・感情系にある２つの脳番地（10番と11番）。

この２つの脳番地は、眉間の裏側にあり、感情の動きに影響されやすく、ブレやすいという特徴があります。

つまり、精神的な弱さは、表現を変えれば、脳番地の弱さだったというわけです。勝負に強い脳をつくりたければ、思考系と感情系、２つの脳番地を強くすることが必要でしょう。

secret of the human brain

chapter 3

感情系脳番地トレーニング

死ぬまで成長し続ける脳番地

感情系脳番地

脳の奥深くには、感情を左右する扁桃体という部位がありますが、この扁桃体は、感情系脳番地の中心的な部位です。

左脳側の脳番地は「私はあなたが好き（嫌い）です」というように、言葉を使って感情を刺激しますが、右脳側では「好きかもしれないし、嫌いかもしれない」と、まだ決定していない、漠然とした感情が刺激されます。

感情系脳番地の最大の特徴は、一生涯にわたって育ち続け、しかも老化が遅いこと。実際、ＭＲＩの画像を見ても、感情系脳番地は衰えにくく、仮に１００歳まで生きたとしても成長を続けることがわかっています。

感情系脳番地が発達しやすい職業の代表格が俳優です。彼（彼女）らは年齢を重ねることに演技に円熟味が増していきます。これも感情の表現力が発達し続けているからでしょう。

もっとも、普段、突然怒り出したり、すぐに落ち込んだりと感情の起伏が激しい人は、どんなに優秀でも、人から敬遠されてしまいます。自分の感情をはっきり示すことも必要

感情系脳番地

他に大脳の内部にあるA番地（扁桃体）、T番地（視床）、Hy番地（視床下部）が含まれる。

ですが、タイミングを見誤ると人間関係に悪影響を与えかねないので、注意が必要です。

また、感情系脳番地は思考系脳番地と相関関係にあります。たとえて言うならガスバーナー（感情系）とお湯が入ったやかん（思考系）のようなもの。

ガスバーナーをつければ加熱されてお湯が沸き、ガスを切ったらお湯も冷めます。同様に、思考を盛り上げたければ感情を高ぶらせ、冷静に考えたければ感情を抑えなければなりません。ところが感情が不安定だと、思考も揺さぶられてしまい、いい考えが浮かばなくなってしまいます。

そのような事態を避けるためにも、感情の起伏が激しい人は、この感情系脳番地を鍛えて穏やかな気持ちを維持する必要があると思います。

10 出かける前に「何があっても怒らない」と唱える

病気やケガ、虫歯などがひどくなると、多くの血液が脳の「超前頭野」に流れることは前章で述べました。

超前頭野には、このように体に不調があるときだけでなく、怒ったり興奮したりしたときにも大量の血液が流れ込みます。これが、いわゆる「頭に血が上る」状態です。

あなたのまわりにも、頭に血が上りやすく、ちょっとしたことですぐに怒ってしまうような人がいるのではないでしょうか。

こういう人の怒る理由を探ってみると、「疲れている」「肩が凝っている」「足腰が痛いのを我慢している」など、体調不良が隠れた要因になっていることが多いようです。

体調が悪いことで思考力が低下し、それがもとで感情がブレやすくなるため、怒りや不満の感情が出やすくなるというわけです。このことからも、感情系脳番地と思考系脳番地が、密接に関係していることがわかるでしょう

もっとも、原因は何であれ、些細《ささい》なことですぐに怒ってしまうようでは、人格が疑われ

てしまいますし、日常生活を送るうえでも支障をきたします。

こうしたことを避けるべく、朝出かける前に、「何があっても怒らない。キレたらその場を離れる、人にはやさしく、やさしく……」と自分にいい聞かせましょう。

これだけのことで、超前頭野にひとつの「目的」を与えることになり、思考や感情の些細な変化に惑わされることなく、穏やかな状態で過ごすことができるのです。

ちなみに、脳では知識を得る場所と感情をコントロールする場所が異なります。

つまり、「頭がいい人」が「心が豊かな人」であるとは限らないのです。

知識人と呼ばれる人たちが感情豊かかといえば、それはまた別の話でしょう。

実際、頭が良くてもドライな性格の人はたくさんいますし、その逆もまた然り、です。

知識を得ることと感情を豊かにすることは、それぞれ別々に訓練しなければならないのです。

11 「楽しかったことベスト10」を決める

日常生活を送っていると、決して楽しいことばかりが起きるわけではありません。ときにはつらい思いをすることや、気持ちが落ち込むこともあるでしょう。

しかし、目の前のことに集中するには、マイナスの感情は心の奥に沈め、即座に気持ちを切り替えることが大事です。

時間は待ってはくれませんし、いつまでもクヨクヨしているわけにはいかないのです。

気持ちを切り替える方法のひとつに、「過去の楽しかったことを思い出す」というものがあります。

「小さいとき、海で心ゆくまで遊んだ」「学生時代、友人と旅行に行ってハメを外した」というような、忘れられない思い出は誰にでもあるでしょう。

このような楽しかった出来事を思い返すと、たとえ嫌なことがあってもつらさや苦しみが和らいで、気持ちを切り替えることができます。

そこで、気持ちが落ち込んだときには、過去の楽しかった思い出をいくつか挙げ、それを「ベスト10」形式で並べてみてください。

これは、感情系脳番地を鍛えるトレーニングになります。

なぜでしょうか。

このトレーニングは、過去の記憶を利用して現在の感情を意識的にコントロールしていることに他なりません。

「過去の記憶を思い出す」ことは、楽しかった感情を再現することですから、その再現のプロセスが感情系脳番地に刺激を与えるというわけです。

なお、楽しかった出来事を思い出すときには、何が楽しかったのか、なぜ楽しかったのか、という点も併せて思い出すようにしましょう。

そうすることで、当時の感情が新たな形で刷り込まれるため、感情の記憶がさらに強化されるのです。

12 「大好きなもの」を10日間絶つ

仕事の休憩時間に、喫煙所に行ってタバコを吸う人がいます。本人にとってはリラックスするための一番の方法なのかもしれませんが、気持ちをスッキリさせるという点では、タバコには一時的な効果しかありません。

それだけではなく、長い目で見るとタバコは健康に害を与えるばかりか、集中力が持続しなくなる、イライラしやすくなるなど、日常生活にも悪影響を与えかねないのです。

しかも、タバコに含まれるニコチンには常習性があるため、なかなかやめられなくなり、ひどい場合には依存症になることも。まさに「百害あって一利なし」です。

お酒に関しても、大量の飲酒によって脳細胞が死んでしまうことが実証されていますし、タバコと同様に依存しやすくなる傾向があります。

飲み会などでお酒を飲みすぎてしまい、そのせいで翌日思うように仕事が進められなかったという経験のある人もいるでしょう。体調に異常があれば脳の働きも鈍りますから、飲みすぎには十分注意しなければなりません。

とはいえ、こうした嗜好品に一度慣れてしまうと、その後でどんなに禁煙や禁酒を心がけてもうまくいかないものです。そんな人は、まず「10日間」と期間を区切り、強制的に酒やタバコを断つことに挑戦してみましょう。

好きなだけ喫煙や飲酒をしてきた人は、最初のうちはつらい思いをするかもしれません。それでも「10日間だけ」と我慢して続けるうちに、やがて酒やタバコに頼らなくても、過ごせることに気づくはずです。

このトレーニングのポイントは、「誘惑」に打ち勝つことだけでなく、感情系脳番地にちょっとした負荷を与えることです。

すなわち、それまで無条件に得られていた「楽しい感情」を少しだけ制御することに意味があるのです。

喫煙や飲酒の習慣がない人は、コーヒーや甘いものなど依存性のある嗜好品を「断つ」ことでも同様の効果が得られます。コーヒーも甘いものも過度に摂取すると健康面に悪影響を及ぼしますから、止めること自体は、体にとっていいかもしれません。

ただし、このトレーニング本来の目的は、あくまでも脳への刺激を変えたときに感情がどう変化するかを観察することにあります。好きなものを止めることで過度のストレスがかからないよう、ほどほどに実行しましょう。

感情系

13 「ほめノート」をつくる

何をやってもうまくいかない時期というのは、確かにあります。

そういうときは、どうしても気持ちが後ろ向きになってしまうもの。

気持ちがあまりに後ろ向きになると、いざという場面でもあきらめの気持ちが先に立ち、普段なら成功するようなことがうまくいかなくなってしまいます。

そうなると、成功体験が少なくなるので、気持ちがますます消極的になってしまう。

結果的にマイナスの感情を生み出し続ける悪いスパイラルに入ってしまうのです。

この悪循環を抜けるには、常に自分の心の動きに気を配り、気持ちがネガティブな状態に傾いたら、すばやく「応急処置」をすることです。

そのために有効なのが、「ほめノート」です。

この「ほめノート」には、日々の生活の中で「自分で自分をほめたい」と思ったことを書き留めておきます。

内容は、些細なことで構いません。

「定時に仕事が終わった。最近はいい調子だ！」「コンビニで1品多く買いたかったが我慢した。よくあそこで踏みとどまれた」など、何でもいいのです。もちろん、まわりの人からほめられるようなことがあったら、それも合わせて書き留めておきましょう。「上司に怒られても口ごたえしなかった。反論していたら上司の逆鱗《げきりん》にふれていただろう」という記述があってもいいと思います。ほめる基準は、その人の自由なのですから。

ほめられてウキウキすると、感情系脳番地に隣接する思考系脳番地も一緒に刺激され、2つの番地の間に良い循環が生まれます。「ほめノート」は感情系脳番地と思考系脳番地の間を良好に保つツールでもあるのです。

14 新しい美容院を開拓する

脳は、常に挑戦し続けていないと育たない器官です。

「挑戦」といっても難しく考えることはありません。

要するに、脳は「新しい体験」を求めているのです。

たとえば、「今まで行ったことのない場所に行ってみる」「いつもと違う色の服を着てみる」「髪型をガラッと変えてみる」という程度でいいのです。

髪型を大きく変えようと思っても、失敗したときのことを考えてしまいますから、よほど思い切らない限り、挑戦をためらってしまうかもしれません。

しかし、イメージチェンジがうまくいけば、周囲に新鮮な印象を与えられますし、それによって自分の気持ちにも新たな変化が生まれます。ですから、チャレンジしてみる価値は十分あるでしょう。

どうせ髪型を変えるなら、いっそ美容院ごと変えてみてはいかがでしょうか。

カットの出来・不出来は、初対面の美容師の腕にかかっているので、かなりの緊張感を覚えるかもしれません。

もちろん、そこで失敗すれば高くつくかもしれませんが、失敗であれ成功であれ自分の感情が大きく揺さぶられるのは確かで、これが感情系脳番地にいい刺激を与えることになるのです。

また、美容院を変えれば、新たな個性を持つ美容師との出会いがあります。人にはそれぞれ個性がありますが、個性が違えば変え方も違うもの。ゆえに自分が持っていないものを持っている人と接することは、脳を刺激するうえでも大変重要です。

自分にないものを持っている人は、自分とは異なる脳番地の使い方をしている人です。ですからコミュニケーションを深めれば、それまでとは違う感情の変化が得られるでしょう。

感情体験は、人間にとってとても大切なこと。

知的な体験も必要ですが、その一方で感情を揺さぶられるような体験をしなければ、人間の能力は伸びません。

15 植物に話しかけてみる

何もしゃべらない植物に話しかけるというと、人によっては奇異な印象を持つのではないでしょうか。しかし、農家の人たちが声をかけながら農作物を育てることはよくあるようですし、実際、「愛情をかけて育てるとおいしくなる」とも言います。

自宅で育てるような観葉植物にしても、サボテンなどは話しかけながら育てたほうがよく育つそうです。私も実際にやってみたことがありますが、確かに「元気そうだな」「ちょっと弱っているみたいだね。水分が足りないのかな？」と話しながら育てるだけで、目の前の植物がそれまでとはまったく違って見えてくるから不思議です。

声かけと植物の生育との間に、科学的な因果関係があるかどうかはわかりません。しかし、もの言わぬ相手とはいえ、絶えず気持ちを伝えることで植物と人との間に相互作用が生まれ、それが成長のエネルギーになるのではないでしょうか。

結果的に良く育つかどうかは別として、植物に話しかけることは感情系脳番地を大いに刺激してくれます。なぜなら、話しかけること自体が、感情表現になっているからです。

実は、このトレーニングにはもうひとつの効果があります。

それは、自分の気持ちが穏やかになること。

たとえば仕事が終わって帰宅した直後は、脳が興奮し、感情が高ぶっている状態です。

その状態で植物に語りかけると、興奮していた脳がクールダウンされるのです。

気持ちを落ち着かせる方法としては半身浴やアロマなどもありますが、植物に話しかけることでも十分なリラックス効果が得られるのです。

また、このトレーニングによって刺激を受けるのは感情系脳番地だけではありません。話しかけるときに植物の健康状態を見ることで、視覚系脳番地も刺激されるのです。

ちなみに、話しかける対象は、犬や猫などのペットや水槽の熱帯魚でも構いません。

飼い猫にその日の出来事を話したり、熱帯魚にエサをあげながら「おいしそうに食べているね」と声をかけてもいいでしょう。

言葉が通じないという前提は動物も変わりませんが、動物は何らかの反応を返してくれるので、植物よりも以心伝心のコミュニケーションが取りやすいと思います。

16 まわりの人に その日の印象を伝える

職場でいつも顔を合わせている人を見て、「今日はいつもと違う」と感じることはありませんか。

「髪型が変わった」「ネクタイが派手だ」と明らかに原因がわかるときもあれば、「何かが違う……」というような、漠然とした「？」が生まれるときもあります。

後者のように、人の表情や雰囲気から違和感を「察知」するのは、感情系脳番地の働きです。

そこで、この「察知力」を高めるトレーニングをしましょう。

人と会ったときに、相手の体調や心理状態を一瞬で感じ取り、気づいたことを伝えるようにするのです。

「今日は何だかお疲れですね」

「機嫌がいいみたいだけど、何かあった？」

「風邪ひいたんじゃない？」

「つまらなそうな顔をしているね」

こんな感じです。

服装、表情、声の調子、皮膚の状態、テンションなど、言葉を使わなくてもキャッチできる情報はたくさんあります。

こうしたさまざまな情報に注目しながら、受けた印象を相手に伝えるのです。

ポイントは、あくまでも〝一瞬〟で判断すること。

じっくり観察すれば何か変化を見つけることはできるでしょうが、時間をかければいいというものではありません。

相手の状態をわずかな時間で感じ取ることが、「察知力」の向上につながるのです。

脳コラム

嫉妬とあこがれは脳にどう影響する?

私たちは、他人の能力や成功をついつい妬《ねた》んでしまうところがあります。

「私のほうが実力があるのに！」

「どうしてアイツだけがいい思いをするんだ！」

そんなふうに思っても、嫉妬心からは有益なものは何ひとつ生まれません。それどころか、激しい嫉妬心は脳に悪い影響を与えることすらあるのです。

嫉妬をすると、脳全体が熱を帯び、高度な情報処理をする「超前頭野（スーパーフロンタルエリア）」の血圧が上がってしまいます。

その結果、脳の酸素効率が悪くなり、より複雑で深い思考ができなくなります。

ところが、反対に人にあこがれを抱くと、超前頭野がクールダウンされるため、脳の酸素効率が良くなります。

脳に与える負担は、人にあこがれを抱くか、嫉妬心を抱くかで、まったく異なるのです。

chapter **4**

伝達系脳番地トレーニング

あらゆるコミュニケーションを担当

伝達系脳番地

「伝達」とは、言葉による伝達だけを意味するわけではありません。紙に文字を書く、手を使ってジェスチャーをするなど、誰かに何かを伝えたいときに用いられる、あらゆる行為が伝達系脳番地の守備範囲です。

伝達系脳番地は言葉で伝える言語系と、図形や映像などで伝える非言語系の2種類に大きく分けられます。

これまで述べてきたように、言語の使用は左脳に依存しているため、言葉を使って伝える場合には左脳の伝達系脳番地が、非言語の場合は右脳の伝達系脳番地が使われます。つまり、左脳側の番地が発達している人ほど、「話し上手」ということです。

また、伝達系脳番地と、その後方にある理解系脳番地や聴覚系脳番地は、非常に深い関係にあります。

人は聴覚系脳番地を通して物音や相手の話を聞き、うなずいたりあいづちを打ったりしながら理解系脳番地で理解を深めますが、この作業によって得られた情報が伝達系脳番地

伝達系脳番地

に送られ、「伝達」の材料となるのです。

ところで、どんなに話好きな人でも、ずっとしゃべりっぱなしだと疲れてくるでしょう。そういうときには意図的に聞く側に回ってみるといいかもしれません。

役割を交代することで、伝達系脳番地から聴覚系脳番地に意識をシフトすることができ、相手の話がすんなり入ってくるようになるからです。

伝達系脳番地が発達しやすい職業としては、営業・販売の仕事に従事する人や司会者、面白いところでは僧侶や牧師などが挙げられます。

いずれも、自分の言いたいことを正確に理解してもらわなければならない仕事ですから、自然と伝達系脳番地が強くなるのでしょう。

17 創作料理をつくってみる

「伝達」という言葉を聞くと、たいていの人は「話す」ことをイメージするのではないでしょうか。もちろんそれ自体は間違いではありませんが、言葉による伝達だけがコミュニケーションではありません。身振り手振りで自分の意思を伝えることもあれば、相手の目を見て意思表示をするケースもあります。コミュニケーションは、多くの言葉以外の要素を含みながら成立しているのです。

こうした伝達力を育てるべく、脳内には伝達系脳番地が存在します。

この番地を重点的に鍛えることで、相手の気持ちをきちんとくみ取りながら話したり、人前でのスピーチを難なくこなせるようになるのです。

では、伝達系脳番地を発達させるには、どんな訓練が必要なのでしょう。

「口下手を何とかしたい」「自分の意見をちゃんと相手に伝えたい」と悩んでいる人がいれば、私はまず、誰かのために創作料理をつくってみることをすすめています。

「なぜ、創作料理が伝達力と関係あるのか」と疑問に思われるかもしれませんが、これにはちゃんとした理由があるのです。

初めてつくる料理は、どんなふうにできあがるか想像もつかないものです。

しかし、それでも失敗した料理をそのまま出すわけにはいきません。

ですから、ほとんどの人が、「どう調理すればおいしくなるかな」「あの人はきっとこういう味付けが好きに違いない」「こんなふうに盛りつけたら喜んでくれるだろう」などとあれこれ考えながら調理するでしょう。

創作料理をつくることは、すなわち相手に対して配慮をすることでもあるのです。

つくった料理が好評であれば、相手との結びつきも強くなり、相手の心に深く入っていくことができます。創作料理は、いわば最高のコミュニケーション・ツール。

相手をどう思い、どう対応したのか、しゃべらなくても伝えることができるのです。

このとき、料理が自分と相手を「結びつける」という考え方が生まれます。

実はこの「結びつける」という考え方こそ、伝達系脳番地を刺激する発想なのです。

料理で相手をもてなすために思いを巡らすことは、問題解決の手順を筋道立てて考えること。一方、相手に自分の意思を伝達するのも、筋道立てた考えを言葉に置き換える作業です。したがって、料理をつくることは論理的な思考を鍛える訓練にもなるのです。

18 団体競技のスポーツに参加する

サッカーや野球、バレーボールといったチームスポーツは、必ずしも個人のテクニックの優劣だけで勝利できるものではありません。

たとえばサッカーの場合、チームメイトの望まない場所にパスを出しても、いとも簡単に相手チームにボールを取られてしまいます。

パスをつなげてゴールに結びつけたいなら、今置かれている状況を瞬時に理解し、味方の望む場所にパスを出すことが不可欠です。

コミュニケーションについても同じことが言えるでしょう。

伝達力の高い人ほど、話の流れを瞬時に把握し、相手が理解できるような言葉を正しく伝える能力を持っています。

しかも、会話のときばかりでなく、手紙やメールを書くときや、料理をつくるとき、誰かにプレゼントを贈るときにもこの能力を発揮するのです。

このように、団体競技とコミュニケーションには大きな共通点があります。したがって、サッカーや野球などをプレーすると、おのずと伝達系脳番地が鍛えられるのです。

また、団体競技に参加すると、状況の変化に柔軟に対応する力を養うことができます。

これも伝達系脳番地を鍛えるための重要な要素。

サッカーでは試合中に目まぐるしくポジションチェンジが行われますし、野球も打順や守備のポジションが変わると、自分に求められる役割が大きく変化します。

キャプテンに選ばれればチームをまとめる統率力が必要とされますし、控えに回って試合に出られなかったとしても、味方を鼓舞するなどさまざまな役割が要求されます。

状況の変化に応じて柔軟に対応できる人は、間違いなくチームに不可欠な人材になるはずです。これはスポーツに限ったことではなく、仕事に置き換えても同じこと。

「上司に指示される立場だったが、突然部下を持つことになり、リーダーシップを発揮しなければならない」「急な配置転換で仕事の内容そのものが大きく変わった」など、状況の変化に応じて自分の立場は日々変化していきます。

このような状況変化に適応し、それに応じたコミュニケーションを取れるかどうかで、仕事の成果やその人への評価はまったく違うものになるでしょう。

19

相手の話に3秒間の「間」を空けて応じる

以前、人間の脳はどれだけ「待てる」のかという実験を行ったことがあります。

被験者に図Aを見せたうえで、「続いて図Bが出ます。それまで図Aをよく見て覚えてください。後でどんな図だったか説明してもらいます」と指示しました。

「次の図が出る」と指示されていますから、この人の脳は待機しています。その間、脳はずっと酸素を使って働いている状態です。そこで、図Bが出るまでの時間を少しずつ長くしていき、脳がどのように働くかを調べました。

この実験から、人間の脳は、最大でも6秒ほどしか待てないことがわかったのです。

脳は図Aが出た後6秒間は休むことなく働き続けますが、それ以上の時間が超過すると働きが鈍くなってしまいます。つまり、人間の脳がひとつの情報を継続して処理できるのは5～6秒が限界だということでしょう。

私は、このことを伝達系脳番地のトレーニングに応用しようと考えました。

人と会話をする際に、相手の話に対して意図的に「間」を置くようにするのです。

もっとも、会話で5〜6秒の間が空くのは長すぎますから、3秒程度の間を置けば十分です。3秒の間を置いて話すと、自分のコメントに対する相手の反応に違いが生まれることに気づくはずです。

同意を求めてきているのに、3秒空けて「……そうだね」と答えれば、相手は「あれ？おかしいな」と不安になるでしょう。また、意見の相違から口ゲンカになったときには、あえて3秒の間を置くことで、怒りが収まることもあります。

これには理由があります。口ゲンカではお互いが相手の言葉をさえぎり、発言を断ち切ってしまいますが、それではお互いに適切な伝達ができません。そこで、一呼吸できる間をつくることで、意見を言い合える状況ができ、相互理解が深まるのです。

こうした違和感や感情の変化は、「3秒の間を置く」という特別な状況をつくらない限り、通常はあまり気づかないものです。しかし、このようにわずかな時間差を意識するだけで、「相手の顔色が変わってきたから言葉を変えてみよう」などと変化に敏感になるため、結果的に伝達系脳番地の働きを大きく向上させられるのです。

20 選択肢を3つ考えながら話をする

今、目の前に口下手でうまく言葉を伝えられない人がいるとします。

そんな人に、「レポートは、いつ提出できそう？」と詰め寄っても、おどおどするばかりで明確な答えは返ってこないでしょう。

しかし、「今月中？　それとも来月上旬？　下旬？」と複数の選択肢を用意すると、相手も「来月のはじめには……」と答えやすくなるものです。

このように、あらかじめ選択肢を準備して質問することは、相手を楽にするだけでなく、質問する自分自身の伝達力を向上することにもつながります。

なぜなら、選択肢を準備するためには、相手に対する分析や伝え方の工夫が不可欠であり、この作業が伝達系脳番地への刺激につながるからです。

ちなみに、ここで選択肢を「３つ」としたのは、明確な数字を示すことで脳が考えをまとめやすくなるから。脳には、42ページでふれたように、「数字でくると認識しやすい」という特徴があるのです。

たけしから
メールだわ。
『オレ、超ビッグで
スーパーミラクルな
男になります!!』
……だって。
一体何に
なるんだ??

ただし、そこで「目標をどう説明するか」という問題が生まれます。

「なぜ、その目標を立てたのか」「どのように実現するのか」「実現するには何が必要なのか」などを、筋道立てて説明しなければいけません。

たとえば、「システムエンジニア（ＳＥ）になりたい」という目標があるとしましょう。

読者の親世代で、この内容を即座に理解してくれる人はどれだけいるでしょうか。

まずは、それがどんな職業かという説明から始めなければならないかもしれません。

このトレーニングは、年代の違う相手に思いを伝えるという点と、それをわかりやすく文章化するという二重の課題を要求されているところに難しさがあるのです。

22 相手の口癖を探しながら話を聞く

人には、多かれ少なかれ「口癖」というものがあります。

話題を変えるときに、必ず「ちなみに」という人や、こちらが話を進めていると、「なるほど！」を連発する人、また、なかには「～する」と言えばいい場面で「～させていただく」と言ってしまう人も。

そこで、人と話すときに相手の口癖を探しながら会話をしてみましょう。

「キーワードを探しながら相手の話を聞く」ことは、伝達系脳番地を鍛えるのに大きな効果があります。伝達系脳番地は、相手に何かを伝えるときだけでなく、人から情報を得ようとするときにも刺激されるのです。

ですから、「口癖を探す」という目的を定めておくと、脳は必死にキーワードを探すようになり、その言葉が見つかると、伝達系脳番地が即座に反応するのです。

たとえば、相手が会話の中で「ちなみに」を連発していることに気づくと、そこに注意を払いながら話を聞くようになるでしょう。

そこで実際に「ちなみに」が出れば、相手がどうしても補足しておきたいことや、本音に通じる部分が語られていることがわかります。

また、口癖や気になるフレーズはひとつとは限りません。慣れてきたら複数見つけたうえで話を聞くと、その分、自分自身の伝達技術も高まります。

実は文章を読むときも、脳は同じような反応を示します。

たとえば経済・金融系の雑誌を読むとき、「マネーロンダリング」という言葉に注目しようと決めると、記事中の「マネーロンダリング」という文字が自然と目につくようになります。さらに、新聞やインターネットなどを見ていても、「マネーロンダリング」という言葉に敏感に反応するようになるでしょう。

このように、キーワードを探しながら人や情報に接触するだけで、あなたの伝達力は確実に高くなっていくのです。

23 カフェでお店の人に話しかけてみる

以前、カフェでパソコンを使っていたときに、近くに座っていた外国人に話しかけられたことがあります。彼はパソコンの画面に映し出された脳の画像を見ながら、「面白い画像だね」と話しかけてきて、それから彼といろいろな話をするようになったのです。

私がふと「君はどこから来たの？」と聞くと、「僕はイスラエルから来たんだ。この辺りで通信関係の会社の社長をしていてね」と言います。

そんな経緯から名刺交換をすることになり、彼との付き合いはその後も続いています。

この体験から、私はカフェや喫茶店に入って、見知らぬ人に話しかけてみることで、伝達系脳番地をトレーニングできるのではないかと考えるようになりました。

とはいえ、他のお客さんにいきなり話しかけるのはさすがに勇気がいるでしょう。

そこで、お店の人に注文を伝えるときに、「このコーヒーの産地はどこですか？」「おすすめは何ですか？」と話しかけることから始めてみてはいかがでしょうか。

お店の人に話しかけることも、他のお客さんに話しかけることも、やろうと思えば誰でもできますから、非常に簡単なトレーニングです。

これがなぜ伝達系脳番地を鍛えることにつながるかと言えば、「ぶっつけ本番」のコミュニケーションだからです。

見知らぬ人に話しかけるときには相手のリアクションが読めませんし、性格や立場などその人の予備知識はまったくありません。

そのため、伝達系の脳番地がフル回転するというわけです。

ちなみに私の場合、国際学会で英語のスピーチをすることで、ぶっつけ本番の伝達力をトレーニングしていました。

壇上にひとりで立ち、各国の学者たちを前に英語で話す――。

時間にして10分程度の短い時間ですが、イメージしただけでも「清水の舞台から飛び降りる」どころではないことを理解していただけるのではないでしょうか。

英語が上手でなくてもとにかく話さなければいけませんし、何より話自体に内容がないといけません。

これなどは、いわばスパルタ式の伝達系脳番地トレーニングと言えるでしょう。

脳コラム

脳は大きいほうがいいのか？

頭の良さは脳の大きさで決まると考えている人がいますが、これは誤りです。

たとえば男性の脳は、女性の脳より、平均して100グラムほど重いというデータがありますが、男性が女性より優れているわけではありません。

また、大脳半球が巨大化する「巨脳症」という病気がありますが、この病気の発症者が特別な能力を有しているわけでもありません。

やはり、脳の良し悪しは「枝ぶり」で決まると考えるのが妥当でしょう。

ただし、脳番地全体を見てみると、大きいほうがいい番地もあります。

それは「海馬」です。

海馬は萎縮したり、傷つきやすかったりと繊細な組織ですが、順調に育った海馬は、形も良く、大振りです。海馬が大きく育った脳画像を見ると、私は知性を感じます。

chapter5

理解系脳番地トレーニング

成長を支えるのは旺盛な好奇心

理解系脳番地

人は目や耳を通じて情報を得ますが、その情報を理解するときに働くのが理解系脳番地です。

日常生活では、相手の話を文字通り理解するだけでなく、「きっと、相手はこんなことを言いたかったのだろう」と推測で理解することがありますが、このような場合も理解系脳番地が働いています。

言われたことをそのまま理解したり、言わんとすることを推測したりと、人の理解の仕方はさまざま。ですから、理解のバリエーションが増えれば、何事も広く深く理解できるようになり、それだけ人間としての幅が広がるのです。

ところが、自分の経験した範囲内でしか理解し（でき）ない人は、脳から見ればマイナスだと言わざるを得ません。

自分が育ててきた理解系脳番地だけですべての物事を把握しようとするからです。

よって、他から新しい情報がもたらされても理解せず（できず）、自ら応用の範囲を狭

理解系脳番地

めてしまうのです。

理解系脳番地を伸ばすには、自分の理解力が最も伸びていた時期を思い出し、その当時の気持ちで日常生活を送ることが一番でしょう。

ちなみに私の場合、28歳前後が最も理解力を伸ばせた時期なのですが、今でも「何でも知りたい」という気持ちを思い出し、当時の意識を維持するようにしています。

このように、未知のことが多く好奇心旺盛だった頃の状態で物事を見たり、人に接したりすると、それまでとは異なる形で理解が深まり、理解系脳番地にも強い刺激を与えられるのです。

弁護士や新聞記者、編集者などは、相手の話す内容やその場の状況を瞬時に理解する能力に長けています。

これは、理解系脳番地が人より発達しているからなのです。

24 10年前に読んだ本をもう1度読む

理解系脳番地を大きく2つに分けると、言語を理解する番地と図形や空間などの非言語を理解する番地があり、前者は左脳に、後者は右脳に主要な機能が位置しています。

このうち、言語を理解する脳番地を鍛えたいのなら、読書が効果的でしょう。

といっても、ただたくさんの本を読めばいいというわけではありません。

どんなに多くの本を読んでも、1度目を通しただけの「読み捨て」では理解が深まることはないからです。理解を深めるには、同じ本を複数回読むことです。

1度読めば内容は頭に入るし、何度も読むのは面倒だという人もいるかもしれません。

そんな人は、だまされたつもりで、昔読んだ本をもう1度手に取ってみてください。

あまり最近のものでは意味がないので、10年ほど前までさかのぼればいいでしょう。

どんなにしっかり読んだ本でも、過去に読んだときには気づかなかったことや、長い時間を経て忘れていたことが必ず見つかるはずです。

小説でもノンフィクションでも、1度読んだだけでは字面しか理解していない状態です。

しかし2度、3度と読むうちに読後の印象は大きく変わります。

なぜなら、脳自体が成長しているため、2度目に読むときには以前とは異なる脳番地を使ってその本を読んでいるからです。つまり、本は同じでも、それを読むあなたの脳はまったくの別物になっているということ。

脳の成長をより実感したい人は、あえて過去に読んだときに面白いと思わなかった本を読んでみるのもいいでしょう。以前とは異なる解釈で読めるばかりでなく、当時はなぜ面白くないと感じたのか、現在の視点から分析することができます。

とくに太宰治の『走れメロス』や、宮沢賢治の『セロ弾きのゴーシュ』など、国語の教科書に出てきたような短編小説は格好の素材となります。

学生のときには、教科書に載っているというだけで拒否反応があった作品も、社会人になってから読むと、新鮮な発見があるかもしれません。

このトレーニングは、さまざまなアレンジが可能です。たとえば、小説なら主人公とは別の登場人物に感情移入してみる、新書やノンフィクションなら著者の主張に批判的な立場から読んでみるなど、工夫次第で初回とは違った読み方ができます。

このように本の内容を多角的に読み込むことで、理解力は格段に深まっていくのです。

25 部屋の整理整頓・模様替えをする

理解系脳番地には言語理解に関する部分（左脳）と非言語理解に関する部分（右脳）があることは前項で説明しました。前者は読書によって鍛えられますが、では後者、つまり図形や空間を理解する力はどうすれば鍛えられるのでしょうか。

おすすめしたいのは、部屋の整理整頓と模様替えです。

あなたのまわりにも、部屋が片づけられないタイプの人がいるのではないでしょうか。彼らがなぜ片づけられないのかといえば、空間（＝部屋）を把握し、オーガナイズしていく能力が欠けているからに他なりません。

部屋が汚いと、お客さんにはいい印象を与えませんし、いざというときに大事なものが見つからないなど、本人にとってもさまざまな不都合があります。

本来なら、整理整頓はそうした状況を改善するために行うものでしょう。

ところが部屋が汚い人は、散らかっていることで自分の部屋を空間的に把握することができず、そのためにますます整理ができないという悪循環に陥ってしまうのです。

この悪循環を断ち切りたければ、定期的に模様替えをすることから始めてみましょう。掃除機や雑巾で部屋をきれいにし、机やテーブル、本棚などの配置を変える作業を繰り返すうちに、「この場所に棚を置くとホコリがたまりやすいな」「ここに机を置くと窓の一部をふさいでしまうから、別の場所に移そう」と、新たな「気づき」が生まれるはずです。こうした体験を積み重ねていくことで、部屋という「空間」に対する理解力が高まり、結果的に理解系脳番地を鍛えることになるのです。

部屋の整理整頓が苦もなくできるようになったら、今度は引き出しの中の小物を整理したり、本棚の本をカテゴリー別に分けたりしてみてください。部屋という大きな空間の整理と、小物や本の整理とでは同じ理解系でも使う脳番地が異なるからです。

また、洗濯物を干すとき、タオルを干していたらTシャツを干す場所がなくなってしまった……という経験はないでしょうか。

実はこれも、限られたスペースの理解力が欠けている証拠。洗濯物の量を考えながら、どこに、どういう手順で干せばいいかを意識するだけでも、理解系脳番地を鍛えることができます。

26 自分のプロフィールをつくる

アメリカに住んでいた頃、医師や科学者として職員の募集に応募しようとすると、必ずCV（カリキュラム・ヴァイティ）を送ってくださいと言われました。

CVとは、職歴をはじめ、過去にどんな研究をしてきたか、その結果どんな賞を受賞したかなどを記入するもので、いわば「履歴書」のようなものだと考えてください。

医師や科学者の世界で重視されるのは、「何を成し遂げ、何が評価されたか」です。

採用する側は、大量に送られてきたCVに素早く目を通さなければなりませんから、採用担当者の目を引くように、こうした実績を簡潔にまとめる必要があります。

しかし、自分をアピールすることに慣れていなかった当時の私は、最初のうちはCVをどう書けばいいのか非常に戸惑いました。

これと似たような体験は、おそらく多くの人が持っているのではないでしょうか。

とくに就職活動で履歴書を書くとき、学歴や職歴は楽に書けても、「自己PR」欄を書こうとした途端、ペンが止まってしまう人は少なくないと思います。

日本人はもともと自分を売り込むのが苦手という面もありますが、だからといって自己PRを避け続けていては、やりたいことを実現する機会が訪れても、チャンスをみすみす逃してしまうことにもなりかねません。

こうした事態を避けるには、自分がどんな人間で、他人からどう見られているかを日頃から理解しておくことです。

そこで自分自身への理解を深めるべく、「プロフィール」をつくってみましょう。学歴や職歴にとらわれない、自分ならではの特徴を書き出してみるのです。

このとき、どう書けば自分という人間に興味を持ってもらえるか、考えてみてください。誰かに見せるわけではないので、内容はどんなものでも構いません。

「実は鉄道マニアで、東海道本線の駅名を全部言える」というマニアックなものでも、「合コンで必ずメールアドレスを聞き出すことができる」という、実際の履歴書には書けないようなことでもいいのです。

あらゆる角度から自己分析することで、自分に対する理解が深まると同時に、他者とは違う自分らしさに気づくことができるでしょう。

27 電車内で見かけた人の心理状態を推測する

私の友人には、ちょっと変わった趣味を持つ人がいます。なかでも「電車内で人間観察をして、その結果を家族に報告する」という人の話は興味深いものでした。彼が言うには、「気になる人を見つけて、その人の背景を推理するのが楽しい」のだそうです。

たとえば、降水確率0％の快晴の日に傘を持っている人がいたとします。

友人は、この傘を持っている人に注目して、「なぜ快晴なのに傘を持っているのか」「荷物が増えて面倒だと思わないのか」「自分だけ傘を持っていて恥ずかしくないのか」など、いろいろな想像を膨らませるそうです。そう考えると、たくさんの見知らぬ人と乗り合わせる電車の中は、人間観察ができる格好の場所だと言えるかもしれません。

ブスッとした顔で座っているスーツ姿の男性を見れば、「あの人は会社で何か嫌なことがあったのかな」と想像できますし、大きなスーツケースを持った外国人を見かけたら、「この人は日本語があまり話せないみたいだ。不安そうだな」と思うでしょう。

このように人の表情を読む訓練は、理解系脳番地を刺激します。

なぜでしょうか。

たとえば、初対面の人と話すときのことを思い出してください。

会った直後は、相手の性格や経歴など、詳しいことは何ひとつわかりません。ですから、当たり障りのない話題を選んで相手を不快にさせないようにするでしょう。

同時に、表情やちょっとしたひと言から、相手がどんな人物なのかを想像し、理解しようと努めるはずです。

この観察が、理解系脳番地を活性化させるのです。

もっとも、電車内で人の顔をじっと見続けていると、思わぬトラブルを引き起こしてしまうかもしれません。相手を不快にさせないように注意しましょう。

28 おしゃれな人の服装をまねてみる

「きれいになりたい」と思うのは、女性においてはごく自然なことだと思います。

しかし、男性の場合はどうでしょうか。

今や男性向けの化粧品が出回る時代ですが、それでもきれいになることを意識する男性は少数派でしょう。

もちろん、男性に化粧をすることまでは求めませんが、少なくとも他人に不快感を与えないような身なりを心がけたいものです。

街を歩いていると、髪型が乱れたままの人や、しわだらけの服装の人をよく見かけますが、やはりいい印象は持てません。こういう人は部屋の整理整頓をするのが苦手な人と同じで、自分自身をオーガナイズする能力に欠けているのでしょう。

実は、私自身も外見をまったく気にせず過ごしていた時期がありました。

研究の目的で渡米した後、しばらく研究に没頭しすぎて見た目に気を遣う余裕がなくなってしまったのです。

見た目に無頓着になると、外見を整えるときに機能する脳番地が使われなくなります。その結果、使われない脳番地の機能が低下し、外見に対する感性はますます失われていきます。

とはいえ、見た目に気を遣おうにもどんな格好をすればいいのかわからない、という人もいるでしょう。

そういう人は、「あの服なら着てみたい」と思える人を街中で見つけて、まねしてみることです。自分と同じような身長・体形の人が、どんな服を着ているか観察することは、楽しいものです。

なかには「素敵だけど自分には無理かもしれない」というケースもあるでしょう。しかし、服装にしても化粧品にしても、実際に試してみないことには、自分に合っているかどうかはわかりません。

試してみて、自分に合っていたら取り入れ、合っていなければ潔く止める。

この作業を繰り返すうちに、自分自身に対する理解力が強くなっていくのです。

29 普段絶対に読まない本のタイトルを黙読してみる

18歳の頃から私が続けている習慣のひとつに、図書館や書店で普段読まないジャンルのコーナーに行き、本のタイトルだけを黙読する、というものがあります。

書店にはたくさんのコーナーがあり、ジャンル別に本が並べられていますが、普段行かないコーナーに足を運べば、タイトルを見るだけでも一味違う発見ができるものです。

たとえば政治関連のコーナーに行くと、「ポリティカル・サイエンス」というジャンルがあることがわかります。

政治に詳しくない人にとって、ポリティカル・サイエンスと言われてもどんな内容なのか謎ですし、実際に本を手に取ってパラパラめくってみても、難しい単語の羅列にしか見えず、あっさり読むのをあきらめてしまうでしょう。

しかし、ポリティカル・サイエンスのコーナーで扱っている書籍をざっと眺めてみると、その分野ではどんな人が本を書いているのか、本のタイトルとして最もよく使われている単語は何か、などがおぼろげながら理解できます。

また、本を手に取り、奥付やカバーに書かれたプロフィールに目を通せば、その本の著者がどんな経歴で、他にどんな本を書いているのかがわかりますし、周辺の情報を総合すれば、著者がどんな意見の持ち主なのかもつかめてきます。

写真が載っていれば、「そういえば、この人は前にテレビ番組で見たことがあるな」と気づくかもしれません。

このように、予備知識がなくてもタイトルや著者の情報をザッと読むことで、そのジャンルの傾向が何となく理解できるようになるから不思議です。

30 出かける前の10分間でカバンの整理をする

人間の脳は、「時間の枠」を設けたほうが働きやすくなります。

学校の授業を思い出してみてください。

先生の話を集中して聞いていられたのは、50分という時間が決められていたからこそ、ではないでしょうか。

もしこれが、授業時間がはっきりと決まっておらず、いつ終わるのかもわからない状態で先生の話を聞き続けなければならないとしたら、どうでしょう。

おそらくほとんどの人が、途中で先生の話に耳を傾けるのをやめてしまい、授業を放棄してしまうのではないでしょうか。

この「時間の枠」をうまく応用すれば、より効率的に理解力を高めることができます。

たとえば朝、家を出る前に、あらかじめ10分と時間を設定したうえで、カバンの整理をしてみてください。

今、どんなものがカバンに入っているのか？

これから、何を入れて何を出さなければいけないのか？

このトレーニングでは、限られた時間内で「現状」と「これからすべきこと」を瞬時に理解しなければいけません。この作業が理解系の脳番地を活性化するのです。

このトレーニングは、工夫次第でいろいろなアレンジが可能です。

「会議が始まる前の10分間で机の引き出しを整理する」

「15分後に人が訪ねてくるから、それまでに本棚を整理する」

このように、後ろにずらせない予定を「デッドライン」に設定するのがポイントです。

時間制限があると、最初のうちは焦りが生まれ、追い詰められたような気持ちになりますが、この焦りを逆手に取れば、心地よい緊張感の中で理解力を向上させることができるのです。

31 帰宅した直後に俳句をつくる

カバンの整理が外出直前なら、帰宅直後にも理解系脳番地を鍛えることができます。

帰宅直後は、その日の出来事を振り返るのに最適な時間帯でしょう。

この時間帯を利用して、その日最も記憶に残ったことを何らかの形で残しておくと、1日の流れを改めて理解できるため、脳内が整理できます。

ある企業の社長は、寝る前の時間を利用してブログを更新しているそうです。

もちろん、ブログもその日を総括するには大いに役立つでしょう。

ただ、日記やブログはある程度の文章量が求められるため、負担が大きいかもしれません。そのため、毎日続けられない可能性もあります。

理解系に限らず、脳番地を鍛える訓練は楽しみながら続けることが重要ですから、続けられない習慣は避けるべきでしょう。

そこで、おすすめしたいのが、帰宅直後に「俳句」をつくることです。

1日を振り返って五・七・五の俳句をつくることは、簡単なようで、実はかなり頭を使います。その日の出来事をきちんと思い出さなければならないですし、印象的な出来事を簡潔かつ的確に表現する語彙力も必要です。

ですから、「つくるぞ！」と意気込むより、「家まで歩きながら一句考えよう」と気楽に考えるほうが無理なく続けられるのではないでしょうか。

もちろん、季語などのルールにこだわる必要はありません。

つくった俳句は、１日の記録であると同時にひとつの作品でもあります。

毎日続ければかなりの量になるでしょうし、そのときの気持ちが言葉に反映されているので、後で見返すと面白いと思います。

ちなみにお年寄りになってから俳句をたしなむのは、脳にとてもいい影響を与えます。

お年寄りは、話す能力が落ちても言語理解力や思考力が目立って落ちているわけではありません。くわえて、年をとると使われる脳番地が変化しますから、結果として若い頃に使っていた部分とは異なる脳番地を使いながら、含蓄のある句を詠むことができるのです。

32 地域ボランティアに参加する

大学から大学院にかけての6年間、私はひとりで近隣の掃除をしていました。毎朝5時半に起き、当時の住まいから最寄り駅までの道をほうきで掃いたり、草むしりをしたりすることを続けていたのです。

不思議なもので、掃除を続けるうちに街がそれまでとは違って見えてきて、自分が地域と深く関わっているような気持ちになりました。

当時はまったく意識しなかったことですが、振り返ってみると、このようなボランティアが脳を鍛えるために非常に有意義だったのではないかと、私は考えています。

それは、なぜでしょうか。

どんな形であれ、自分の住む地域と関わりを持つと、「今日はごみが多いぞ」「人の動きがいつもと違うな」と、わずかな変化に敏感になります。この「気づき」が、理解系脳番地に刺激を与えるのです。

地域ボランティアへの参加は、とくに会社の社長やチームリーダーなど管理者的な立場にある人におすすめしたいトレーニングです。

社長の脳は、普段「経営」に必要とされる脳番地だけを使っているため、「現場」で必要とされる脳番地をあまり使っていません。ですから、社長と一般社員を比べると、社内的な立場は社長のほうが上でも、脳番地の使い方は一般社員のほうが優れている、ということもあり得ます。脳番地をうまく使いこなせているかどうかは、社会的な地位とはまったく関係ないのです。

ところが、日本では契約社会のアメリカとは違い、会社での上下関係をプライベートにまで持ち込んでくる傾向があります。結果として、社長はプライベートにおいても、常に支配的な脳の使い方をしてしまう。これでは使用される脳番地が変わらず、ものの見方や理解の仕方が固定化されてしまいます。

こうした事態を防ぐために、いつもリーダー的な立場にいる人は、仕事以外の場では意識的に立場を変える必要があります。仕事上の人間関係や利害とは無縁のボランティア活動は、その絶好の機会となるのです。

逆に、普段は部下の立場にいる人は、地域のボランティア活動では積極的にリーダーシップを取ってみるといいでしょう。どんな方法で地域の人たちを統率すればいいかを理解することで、リーダーが使う脳番地が鍛えられるというわけです。

33 尊敬する人の発言・行動をまねる

優れたリーダーシップで組織を動かす社長、話題作を次々と世に送り出す作家、鍛えられた肉体と驚くべき精神力で記録を塗り替えるスポーツ選手など、誰でもひとりくらいは、心から尊敬できる人物がいるのではないでしょうか。

有名人でなくても、お世話になった学校の先生や会社の先輩など、身近な人を尊敬の対象としている人も多いかもしれません。

お世話になった人には、「感謝」と「敬愛」の気持ちを持ち続けることが大切です。

なぜなら、感謝と敬愛の気持ちは、それを抱いた人の理解力の閾値《いきち》を下げ、今まで見えていなかった物事を見やすくする作用を脳に引き起こすからです。

もし、尊敬できる人がまわりにいるなら、その人のまねをして、自分にはない部分を積極的に取り込んでいきましょう。

誰かのまねをするというと、日本人はとかく「パクる」と称して嫌う傾向がありますが、他の人の長所は積極的に見習っていくべきです。

「模倣は創造の母」と言いますし、まねをしながら自分に合っていると思ったものは継続して、合わないものは止めればいいのです。

こうした試行錯誤を繰り返すうちに、その人の良さはやがて自分自身のものになっていくでしょう。

まずは、尊敬する人を思い浮かべながら、「こうなりたい」「こうありたい」と思う事柄を3～4つ選びます。次に、その事柄を数日から1週間ほどかけて実際の行動に反映させてみるのです。

「まね」は、相手のことを本当に理解していなければできません。

単に「知っているつもり」では、本質を正確にとらえることはできないのです。

本当に尊敬する人のようになりたいと思うなら、「なぜ自分ができないのか」「なぜ自分がそこにあこがれるのか」について、真剣に考えようとするでしょう。

このように、他者を理解しようという思考こそが、理解系脳番地を鍛えることにつながるのです。

脳コラム

脳も「食事」をする!?

私たちは1日3回食事をしますが、脳も同じように「食事」をします。ただし、脳が「食べる」のは、肉や野菜ではなく「情報」です。

情報とは、人間の活動を通じて外部から得られるさまざまな刺激や経験のこと。脳は五感を通じて、毎日膨大な情報を食べているのです。

脂っこいものや甘いものを食べすぎれば病気になるように、脳にとっても「食べすぎ」はよくありません。

では、脳の「食べ過ぎ」とはどういうことでしょうか？　これには〝睡眠〟が深く関係しています。脳は睡眠中に、日中使っていた脳番地を休ませています。

しかし、睡眠を取らないと、起きている間中、ずっと情報処理をしなければいけません。睡眠不足の裏返しは「情報」の食べすぎ。つまり、脳の過食です。

脳の「食べすぎ」は、脳細胞のオーバーワークになり、脳に栄養を運ぶ血管を疲れさせることになりますから、注意が必要です。

chapter 6

運動系脳番地トレーニング

最初に成長を始める脳番地

運動系脳番地

運動系脳番地の最大の特徴は、あらゆる脳番地の中で、最も早く成長を始めることでしょう。

人の成長過程では、まず運動系脳番地の枝ぶりが発達し、続いて前頭葉付近の思考系・感情系脳番地、次に脳の後方にある視覚系・聴覚系・記憶系の脳番地が伸びていきます。

また、運動系脳番地のトレーニングは、他の脳番地にもさまざまな影響を与えます。

スポーツでは、対戦相手やボールの動きを目で見なければならないので、視覚系脳番地を働かす必要があります。また、監督の指示を聞き、それをプレーに生かすには聴覚系脳番地が働きます。スポーツに限らず、ピアノを弾くときにも運動系脳番地が使われますが、このときも、楽譜を見て鍵盤にふれ、出される音を耳で確かめながら演奏するので、複数の脳番地が使われます。

このように、運動系脳番地のトレーニングは他の脳番地との連動性を高めるうえでも非常に価値があります。あらゆる脳番地を総合的に伸ばしたいなら、まずは運動系脳番地の

右下はC番地（小脳）。この他に大脳の内部にあるB番地（大脳基底核）が含まれる。

トレーニングから始めるといいでしょう。

運動系脳番地が発達しやすい職業としてスポーツ選手や芸術家などが挙げられます。他にも農業や漁業に従事する人も運動系脳番地が発達していますし、意外なところでは裁縫が得意な人も。手先を器用に動かすには、運動系脳番地の働きが不可欠です。

ちなみに運動系脳番地のすぐ後ろには、人間の感受性や皮膚感覚を担う脳番地があります。これは感情系脳番地とリンクしていますが、「今日は暖かくて気持ちいいから外を散歩してみようかな」と思うのは、皮膚感覚と感情が連動しているからです。皮膚感覚を担う脳番地も、運動系脳番地と同様、幼少期から発達しており、他の脳番地の発達につながる基礎となっているのです。

34 利き手と反対の手で歯みがきをする

生まれたばかりの赤ちゃんが体をバタつかせて大泣きできるのは、母親の胎内にいるときから、すでに体を動かす運動系脳番地の成長が始まっているからです。

しかし赤ちゃんは、同じ体を動かすにしても、ものを食べたりしゃべったりすることはできません。これは歯が生えていないからや言葉を知らないからだけでなく、運動系脳番地の中の「口」や「舌」を動かす番地が未熟だからです。

このことから、運動系脳番地では、手、足、口、舌など体の各部分の動きをつかさどる番地が分かれていることがわかるでしょう。

手の器用さ、足腰の強さなどは、個別に鍛えていけば強化することができますが、その一方で、どうしても忘れられがちなのが口と舌の動き。

そこで、運動系脳番地のトレーニングとして「歯みがき」を取り入れてみたいと思います。脳番地的な視点から見ると、「歯みがき」は、手と口の番地を同時に使う、非常に効果的な「運動」なのです。

ただし、どうせなら普通にみがくのではなく、多少アレンジを加えたいところです。まずは利き手とは別の手でみがいてみてください。あなたが右利きなら左手、左利きなら右手を使うことで脳に新鮮な刺激が伝わります。

また、ブラッシングをするときには、歯ブラシをいつもと逆の方向に動かしてみたり、毛先をグラインド（回転）させたりするといいでしょう。

口の運動としては、「早口言葉」もおすすめです。

私は最近、楽曲付きの「脳番地体操・HAPPY」というものを監修しましたが、この中でも「あいうえお」から始まる五十音や「なまむぎ・なまごめ・なまたまご」などの言葉を口の運動として取り入れました。

口の運動が終わったら、次は舌です。子どもが「あっかんべー」をするように、舌を口の外に思いっきり出してみてください。舌を伸ばしきると喉の奥が緩むような感じになることがわかるでしょう。この感覚が、舌を十分に使っている証拠なのです。

利き手以外での歯みがきや舌の出し入れは、普段使わない筋肉を使ったり、首から肩にかけての凝りをほぐしたりとさまざまな効用がありますから、毎日続けることをおすすめします。

35 カラオケを「振り」つきで歌う

運動系脳番地のトレーニングにおいて大事なのは、楽しみながら体を動かすということです。しかし、読者の中には体を動かすことが苦手で、「運動」「スポーツ」と聞くだけで尻込みしてしまうような人もいるでしょう。そういう人が運動系脳番地を鍛えようとすると、どうしても「やらなくちゃ」という焦りを感じてしまうようです。

しかし義務感にかられてトレーニングをしても、脳に良い刺激を与えることはできません。そこで運動が苦手な人に、楽しみながら脳番地を鍛える方法をご紹介しましょう。

それは「カラオケ」です。

といっても、単に歌を歌うわけではありません。

自分が歌うときに「振り」をつけながら歌ってみるのです。

かつて外来診療をしていたとき、私は患者さんたちの中に驚くほど肌が若い人たちがいることに気がつきました。

よく調べてみると、その人たちは、共通してダンスや日本舞踊など楽曲に合わせて体を動かすことを続けてきた人たちであることがわかったのです。

「振り」をつけるのが恥ずかしいという人は、他の人が歌っているときに、曲に合わせてジェスチャーをするのもいいでしょう。スポーツなどと違って体を激しく動かすわけではありませんが、これも立派な「運動」なのです。

また、このトレーニングは、音楽を注意して聴くことでおのずと脳番地の反応が聴覚系にシフトするという効果もあります。

ちなみに、アイドルなどの曲を聴きながら振りまねをするのと、自分が考えた振り付けで自然に体を動かすのとでは、脳番地の使われ方がそれぞれ異なります。

振りまねをする場合は、もともとオリジナルの「型」があり、それを忠実にまねるという要素が入ります。一方、体を自然に動かす場合は、自分の動きをつくり出すという点で、ある種の「独創性」が入ります。前者が「受動的な振り」なら、後者は「能動的な振り」だというわけです。

意味合いが違うとはいえ、運動系脳番地を鍛えるうえではいずれも効果的ですから、トレーニングとして積極的に取り入れてみてください。

36 歌を歌いながら料理をつくる

トレーニング35のように、あえてスポーツをしなくても、日常生活の中で運動系脳番地を鍛えることは十分可能です。

たとえば「料理」。料理も五感をフルに使いますから、広い意味での「運動」です。料理をすること自体が運動系脳番地のトレーニングになり得るのですが、ここでは、あえて歌を歌いながら料理をすることを提案しましょう。

なぜ、これが運動系脳番地のトレーニングになるのでしょうか。

運動系脳番地は体を動かす際にさまざまな指令を出していますが、歌いながら料理をすると、料理をする「手」と歌を歌う「口」を連動させるように指令を出すことになります。これは、とても高度な指令です。

一方で、運動系脳番地は、何か行動を起こす前に「どうやって体を動かすか」というプランを立てる働きもあり、私たちはそのプランを常にコントロールしながら行動しています。

しかもこのプランは、瞬時に、かつ無意識のうちに立てられます。

朝、会社に行くときも、「どの道を歩くか」「どこから電車に乗るか」というプランが一瞬で立てられ、私たちはそのプランに基づいて動いています。もし、こうしたプランが立てられないと、家を出ても右往左往することになってしまうでしょう。

もちろん、これは料理の場合も例外ではありません。運動系脳番地では、調理の最中も、次に何をすればいいのかが素早く計画されています。これに「歌を歌う」というアクションを付け加えることで、運動系脳番地に一定の負荷がかかるというわけです。

これをうまく応用すれば、体を動かしながら頭の中では別のことを考えることが容易になり、しかも普段以上にいいアイデアを生み出すことが可能になるのです。

37 鉛筆を使って日記を書く

パソコンの普及によって、紙に文字を書く機会はめっきり少なくなりました。確かに、文字を速く大量に入力するには、パソコンのほうが圧倒的に有利でしょう。しかし、脳への刺激という点では、パソコンは手書きには遠く及びません。

パソコンを使っているときは、脳をフル稼働しているようなイメージがありますが、実は手（指）の動きは限られており、運動系脳番地はわずかしか使っていません。

一方、鉛筆やペンを使って字を書くと、脳は手の動きを細かく指示しなければならず、広い範囲の脳番地を使います。

パソコンでは「読み」さえ知っていれば文字を入力できますが、実際に文字を書くときは、ひらがな・カタカナ・漢字・アルファベットなどをひと通り覚え、正確に書かなければいけません。

また、パソコンで書いた文章は、文字のサイズや書体が統一されて出力されますが、手書きの場合は、その時々の心理状態が文字の形に大きく反映されます。焦って書けば文字が雑になりますし、リラックスして書けばきれいな文字が書けるでしょう。大事な書類であれば、文字が雑にならないよう、緊張感を保ちながら書こうとするのではないでしょうか。

つまり、手で文字を書く際には、さまざまなことに配慮しなければならないのです。

このように、「書く」という行為は、脳番地の成長に良い効果を与えてくれます。

この効果を体験するためにも、普段パソコンばかり使っているという人は、ノートに自筆で日記を書く習慣をつけるといいでしょう。

難しく考えて、内容のあるものを書こうとする必要はありません。

たとえば「今日は○○から△△まで歩いた」「今日はずっと家にいた」など、自分の1日の行動を書くだけでもいいのです。とにかく、このトレーニングは「手で書く」ことが大事なのですから。

なお、筆記具は、ボールペンではなく、鉛筆や万年筆を使うことをおすすめします。鉛筆や万年筆は、書くときに先端を微調整しなければいけません。

この微調整が、指先の脳番地トレーニングにはもってこいなのです。

38 名画を模写する

文字を書くことと同様、絵を描くことも、手を動かす運動系脳番地の訓練になります。

絵には、文字以上に多くの情報量があります。

細部まで描き込んだり色使いを変えたりすれば多彩な表現ができますし、できあがった作品を見れば、描いたときにどんな心境だったのかということも含めて、文字以上に多くの情報を読み取ることができます。

さらに、文字と絵では、「空間」のとらえ方が異なります。

文字を書くときに、「どれだけのスペースに収めようか」と考える人は少ないでしょう。

一方、絵は、紙やキャンバスの大きさを見ながら、どれだけの範囲に描くかというバランスを意識しなければいけません。

このように、空間を把握する力は運動系脳番地に連動して刺激されます。

しかし、絵を描くのは苦手だし、何を描いていいのかわからないという人もいるかもしれません。そんな人は、名画を「模写」することから始めてみてください。

ゴッホ、ピカソ、ルノワール、北斎……、

名画と言われるものなら、どんなものでも構いません。

あなたが好きな絵を1枚選び、徹底的にまねしてみるのです。

「難しそう」という人は、マンガをまねてもいいでしょう。

絵画に限らず、ものをつくる過程で何かをまねることは脳のいい訓練になります。

なぜなら、見よう見まねで同じものを再現しようとすることで、その作品をつくった人の脳番地の使い方を無意識になぞることができるからです。

しかし、当然ですが、オリジナルの作品を描いた画家と、それをまねた人の脳は同じではありません。この世に「まったく同じ脳」というのはひとつとして存在しないのです。

したがって、どれだけ精巧に名画をコピーしたとしても、そのコピーはあなたの運動系脳番地を使って描いた「オリジナル作品」なのです。

39 階段を1段とばしで下りてみる

私は普段、エレベーターやエスカレーターを極力使わず、階段を使うようにしています。もちろん、運動のためでもありますが、上り下りに変化をつけることで足腰を動かす運動系脳番地が鍛えられるからなのです。

「上り下りに変化をつける」とは、具体的にどういうことなのでしょうか。

たとえば、階段を「1段とばし」で上ってみてください。

段をとばしながら上ろうとすると、一段一段上る場合と違って、着地する場所や着地のタイミングをよく見極めなければいけません。いきおい、よく考えながら足を踏み出すようになりますし、いつも以上にしっかりと着地点を見るようになるでしょう。

「1段とばし」をすると、このように普段使わない注意力が必要になるため、脳が新鮮な刺激を受けるのです。

「1段とばし」がそれほど難しいと感じない人は、応用編として、「1段とばしで下りる」というのはどうでしょうか。

実際にやってみるとわかりますが、これは1段ずつ上るよりも、はるかに難しく感じるものです。

「1段とばし」で上ることが苦もなくできるという人も、こちらは体のバランスの取り方が違う分、少し慎重になるのではないでしょうか。

同じ「1段とばし」でも、下りる場合は上る場合より、より多くの運動系脳番地を働かせることになるのです。

ただし、足を踏み外したりバランスを崩したりすると、思わぬ事故に発展します。このトレーニングは、まわりに人がいる場合や階段が急なときには、控えるようにしてください。

運動系

40 頭が働かなくなったらひたすら歩く

どんなに考えても名案が浮かばず、行き詰まってしまうことはよくあります。これは、特定の脳番地に連続して負荷がかかっている状態であり、あまり良い状態とは言えません。この状況を変えるには、使っている脳番地を移動させる、「脳番地シフト」が必要でしょう。

ところで、人と口論をしている最中に感情が抑えられなくなり、急に相手につかみかかる人がいます。実はこの場合も「脳番地シフト」が行われています。

思考系脳番地の働きが弱まり、感情系脳番地の勢いを借りて、運動系脳番地にシフトして相手に手を出してしまう——。怒りを向けられた相手としては迷惑な話ですが、本人にとっては見事に脳番地シフトを果たしているわけです。

とはいえ、考えが行き詰まったときの対処法として、「キレる」ことを推奨するわけにはいきません。他人に迷惑をかけない範囲で「脳番地」をシフトさせるためには、まずは作業をいったん中断して、その場を離れてみることでしょう。

ただし、作業をしている場所から一時的に離れるだけでは不十分。

「なぜ、さっきは行き詰まったんだろう」などと考え始めてしまったら、体は離れても「脳」は机の上から離れていないことになるからです。

思考が行き詰まったときには、とにかく体を動かして脳の活動を無条件に運動系脳番地へシフトさせなければいけません。運動系脳番地から他の脳番地にシフトすることは簡単ではありませんが、その逆は比較的楽にできるのです。

最近はあまり見かけませんが、昔のドラマでは、会社の休憩時間に屋上で社員同士がバレーボールに興じるシーンをよく見かけました。よくよく考えると、あれは非常に理にかなっていたわけです。

手軽にできる運動として、おすすめしたいのが「歩く」こと。

「歩く」ことは体を動かすときの基本動作ですから、脳を活性化させるには、最も手軽で確実な手段です。

思考が硬直化してきたなと思ったら、何も考えずに10~15分ほどひたすら歩いてみてください。たとえわずかな時間でも、作業で酷使した脳番地の活動を意識的に休ませることができるはずです。

脳コラム

脳番地の位置と大きさは？

「足」を動かす脳番地と、「手」を動かす脳番地は、いずれも運動系脳番地にありますが、近いようで離れた場所に位置しています。

「足」を動かす脳番地は、ちょうど頭のつむじの真下あたり。「手」を動かす脳番地があるのは、このつむじから左右３センチほど離れたところです。

たった「３センチ」と思うかもしれませんが、顔の幅（右耳から左耳までの距離）の平均値は12センチほどですから、脳にとっては、たかが３センチ、されど３センチなのです。

手を動かす脳番地は、生まれたばかりの赤ちゃんの場合、小豆１個くらいの大きさです。それが、使い込むことによって、大豆ほどの大きさに成長し、さらに１円玉大にまで成長します。

ただし、あまり手を動かさない人は、ここまで成長することはありません。

さて、あなたの手を動かす脳番地は、どれくらいの大きさになっているでしょうか？

chapter 7

聴覚系脳番地トレーニング

成長のきっかけは生まれてすぐの本能的欲求

聴覚系脳番地

聴覚系脳番地も、他と同様、おもに言語の聞き取りに使われる番地（左脳側）と、周囲の音に注意を払うときに使われる番地（右脳側）に分けられます。

このうち言語を聞き取る番地が成長を始めるのは、生まれて数カ月が経ってから。生まれたばかりの赤ちゃんは、母親がいくら声をかけても、それを「言葉」だとは認識していません。ところがずっと話し続けていくうちに、聴覚系脳番地の枝ぶりが良くなり、左脳にある言語系の脳番地が発達し始めるのです。これは、赤ちゃんが言葉を認識できない段階から声をかけて脳を刺激することで、未開発の能力を引き出したことになります。

実はこれこそが、脳番地トレーニングの原点なのです。

最初からすべての細胞が力を発揮しているわけではなく、外部から情報が入ることで、それを処理するために潜在能力細胞（↓36ページ）が成長を始め、他の細胞とネットワークをつくりながら発達していく……。このように、潜在能力細胞の機能を高め、成熟した能力細胞に発達させる営みこそが、正しい脳番地トレーニングなのです。

聴覚系脳番地

潜在能力細胞から能力を引き出すために、最も必要なのが「～したい」という能動的な思考。生まれて間もない赤ちゃんも、本能的に「言葉を理解したい」と思うからこそ、言語系の聴覚系脳番地が伸びていくのです。

これがもし、「～させられる」という受動的な思考であれば、引き出される能力もごく限られたものになってしまうでしょう。

何事も受身ではなく、自分から「～したい」と考えたほうが、潜在能力細胞から多くの能力が引き出されますが、その象徴的な存在が聴覚系脳番地なのです。

聴覚系脳番地が発達している職業の代表格は音楽家です。他にもテレフォンオペレーター、塾講師、意外なところでは落語家が挙げられます。落語家が膨大な数に及ぶ噺《はなし》を師匠から聞き、自分のものにしていくには、話すだけでなく聞く能力も必要とされるのです。

41 ラジオを聴きながら寝る

仕事や勉強の成績がいいと言われる人ほど、聞き上手の人が多いようです。聞き上手の人は、相手の話を素直に受け入れることで理解力が身につきますし、良質の情報は「話しやすい」人のところに集まってくるからです。

聞き上手になりたいなら、まずは聴覚系脳番地を鍛えなければいけません。そこでまず、意識を「耳」に集中させる訓練をしてみましょう。

夜、電気を消し、真っ暗な部屋の中でラジオだけをつけて眠りに就くのです。ラジオを聴くのは寝るまでの間で構いません。

ですから、2~3時間後にオフタイマーが作動するように設定したうえで、このトレーニングを試してみてください。

部屋を暗くすれば、視覚系脳番地への情報入力がなくなります。

また、寝ているときは手足の動きが少なくなり、ものも食べないので、味覚、嗅覚、触覚への情報入力も低下します。その結果、意識はおのずと聴覚に集中します。

つまり寝る前は、五感の中でもとくに聴覚が研ぎ澄まされている時間帯なのです。

ちなみに、聴覚系脳番地は、1日の最後に「寝付き」、最初に「起きる」脳番地です。

多くの人は、朝、目覚まし時計の音で目を覚ますと思いますが、この目覚まし時計の音に反応するのが、聴覚系脳番地。聴覚系脳番地は、朝の目覚めと同時に動き出しているのです。

なお、このトレーニングはラジオがなければできないわけではありません。

もし、ラジオが手元にないときは、やはり暗闇の中で、次の日の行動目標を10回ほど声に出してから寝てみましょう。寝る前の研ぎ澄まされた聴覚に働きかけるという意味では、同じ効果があります。

目標を声に出せば、何となく実行したいと思っていたことが言葉によって明確に意識されます。また、自分の耳から目標を入力することで、音声によって明日の「予習」ができるというわけです。

42 店で流れている有線を聴いて気に入ったフレーズを拾う

街を歩いていると、さまざまな「音」があふれていることに気づきます。駅に行けば案内放送が聞かれますし、コンビニやファストフード店に入ると、当たり前のように有線放送が流れています。

こうした音は、普段はあまり気に留めずに聞き流していることが多いのではないでしょうか。

しかし耳をすませて聴いていると、気になる言葉やフレーズが意外と耳に入ってくるものです。

実際、店の中で何気なく有線放送を聴いている間に、「いい歌詞だな」とか「今の自分の気持ちにピッタリ合う曲だ」と感じて、後で誰の何という曲か調べてみた、という経験は誰にでもあるのではないでしょうか。

そこで、街中に流れている音楽に意識的に耳を傾け、印象に残った言葉を書き留める訓練をしてみましょう。

この訓練は聴覚系脳番地を刺激し、言葉を聴き取る能力を高めます。
聴覚系脳番地では、曲を聴いたときに、歌詞に反応する部分とメロディに反応する部分がそれぞれ違います。
歌詞に反応しやすいのは言語をつかさどる左脳にある番地、メロディに反応しやすいのは感覚をつかさどる右脳にある脳番地です。
したがって、普段何気なく聞き流している有線放送でも、「歌詞」だけに意識を向けることで、聴覚系脳番地が多面的に刺激されるというわけです。

43 会議中の発言を速記する

外資系企業に勤めるビジネスパーソンは、「速記力」が非常に高いそうです。

彼らは少しの時間でもムダにしたくないとの思いから、打ち合わせ中に参加者の発言を速記（タイピング）し、議事録をまとめます。そして、打ち合わせが終わると同時に、参加者に配布することを習慣化しているのだとか。

こんなふうに速記ができる人は、私自身、尊敬してしまいますし、単純にかっこいいと思います。

速記は「聴く力」が鍛えられるため、聴覚系の脳番地が格段に発達します。

これを脳番地トレーニングに応用しない手はありません。

社内のミーティングや地域の集まりなどで議事録の作成が必要になったら、積極的に記録係（書記）を買って出ましょう。

そもそも会議に参加する習慣がないという人は、テレビやラジオなどを利用すればいいと思います。

速記は、発言を適当に書き出せばいいというわけではありません。

後で読み返したときに、誰がどんな発言をしたかがわかるように、正確に記録することが求められます。

しかも、当然ですが、スピーディーに記録しなければいけません。

この同時性が緊張感を生み、聴覚系の脳番地が最大限に働くというわけです。

また、速記では、聴き分けた内容を吟味することが求められます。

すべての発言を残すわけではありませんから、記録することと捨てることをとっさに判断しなければいけません。

そこでまずは、相手の言葉をひと言でも多く記録することから始め、一言一句漏らさず書き出せるようになったら、今度は話の中から要点だけをピックアップする練習をしてみてください。そうすることで、速記の能力だけでなく、情報を選《え》り分ける力が養えます。

この選別がうまくできるようになれば、聴覚系脳番地は格段に強くなるでしょう。

44 ニュースを見ながらアナウンサーの言葉を繰り返す

テレビのニュースを見ながら、アナウンサーの発言を正確にリピートします。

ディクテーション（聞いたものを速記する）とはやや意味合いが異なりますが、聴いたことを反芻《はんすう》して正確にリピートすることは、それだけで聴覚系脳番地を刺激することになります。

最初のうちは、文章自体が長かったり、なじみのない固有名詞が出てきたりすると、うまくいかないかもしれません。しかし回数をこなすと、1度聴いただけで正確にリピートできるようになります。

この作業を何度も繰り返していると、やがて「聴いた内容を正確に覚える」という行為が脳の中で習慣化されていき、1度聴いただけでも自然と人の話が覚えられるような回路ができていくのです。

最終的には、しばらく時間が経った後でも話の細部を再現できる状態にまで持っていきたいところですが、すぐにそのレベルにまで達することは難しいでしょう。

ですから、まずはひとつのニュースが読み上げられた後に、その内容をできるだけ正確に再現することにチャレンジしてみてください。

耳で聴いた内容を正確にリピートする力がつくと、いろいろな場面で応用ができます。

メモがない場面でも相手の話をきちんと記憶できたり、交渉において重要な場面で相手の言ったことを誤りなく繰り返すことができるようになるでしょう。

ちなみに、落語家はこれとよく似た方法を修行に取り入れていると聞きます。

稽古のときは師匠から30分ほど噺《はなし》を聞くそうですが、その間はメモを取ることができません。したがって、終わった後で即座にその内容を書き出すそうです。

噺の内容はもちろんのこと、扇子を使うタイミングも、師匠とまったく同じ型、まったく同じ間の取り方で再現しなければならないため、師匠と膝をつき合せて聞かないと、型通りに伝承されないとのことでした。

日頃からこうした訓練を積んでいるため、落語家の聴覚は鋭く研ぎ澄まされているのです。

45 自然の音に注意を払う

楽器の演奏は、聴覚系脳番地を鍛えるうえで最もオーソドックス、かつ効果的な方法です。どの楽器を使うかによって奏でられる音は異なりますから、自分にとって親しみのある音をつくっておくと、それだけ「音」に対して敏感に反応できるようになるでしょう。

私自身は楽器の演奏ができません。

聴覚系脳番地の訓練になることはよく理解しているのですが、学ぶ機会がなかなかつくれないというのが悲しいところです。

ただし、私の場合は、楽器にふれない代わりに自然界の音を聞くことを意識してきました。郷里の新潟にいた頃は、何度も海に行き、海岸の景色を眺めたり波の音を聞いたりしていましたが、そうするうちに、海の景色がその時々で目まぐるしく変化することを知りました。

今では海の音を聞いただけで、その日の波の立ち方が何となくわかりますし、波が高いのがどの辺りかも手に取るようにわかります。

また、波の音にわずかな変化があっただけでも、「天気が大きく崩れそうだな」ということがわかるようになりました。

楽器を習えない人や楽器が苦手な人がいたら、このように自然の音に注意を払うことから始めてみてください。

考えてみると、私たちは日常生活の中でさまざまな音に囲まれています。

道路を車が行き交う音や家電が発する電子音もあれば、雨がアスファルトを叩く音や虫の鳴き声もあります。

私の個人的な考えですが、人は人工的な音ではなく、自然の音に対して、より多くの快感を覚えるのではないでしょうか。

しかし、普段の生活の中では人工的な音のほうが多くなり、自然音を聞く機会が少なくなっています。それだけに自然の音を聞いて、その変化に敏感になることは、聴覚系脳番地の素晴らしいトレーニングになるのです。

46 遠くのテーブルの会話に耳をすませる

「カクテルパーティー効果」という言葉をご存じでしょうか。

パーティーの最中、周囲が騒がしくても、話したい相手の声や聴きたい音だけは、きちんと耳に入ってくるというものです。

まわりが騒がしい場所にいるときに、近くにレコーダーを置いて会話を録音しても、後で聴き直すと雑音に阻まれて、細部まで聴き取ることができません。

しかし、人間の耳を使うと何の支障もなく会話できるのは、たくさんの音の中から相手の声だけを脳が選択的に聴き取っているからです。

この「カクテルパーティー効果」を利用して、聴覚系脳番地を伸ばすトレーニングをしてみましょう。

飲食店などに入ったら、自分の席から少し離れた場所に座っている人たちの会話に耳をすませてみるのです。

どんなに小さな声でも、「聴きたい」という意思がある以上、脳は能動的に音をキャッチ

〜〜〜〜〜
〜〜〜〜♡
聞いてるこっちが恥ずかしい……。
でも聞いちゃう
ドキドキ…

しようとします。この「聴きたい」という意思こそ、積極的に脳を使う「したい思考」であり、脳番地を活性化させる原動力となるのです。

ここでもうひとつ重要なのは、会話を聴いて話し手の背景を「推測」すること。

遠くの声に耳をすませると、会話の端々から、話し手がどんな人なのかを自然と推測することになります。

また、誰かの発言に対して、「なぜ、その言葉が出てきたのか」「そこにいる人たちがどういう関係なのか」を考えることになります。

この推測が、聴覚系脳番地の中の「人の話を理解する」番地を鍛えることになるのです。

47 特定の音を追いながら音楽を聴く

多くの音の中から、特定の音だけを拾い上げて聴くことでも、聴覚系脳番地を強化することができます。

たとえばオーケストラの演奏を聴きながら、バイオリンやチェロなど特定の楽器の音だけを追いかけるのもいいでしょう（楽器が苦手な私にとっては、どの楽器がどの音なのか、うまく聴き分けられないのが悩みの種ですが……）。

先ほど述べたように、歌詞を聴くのとバックの演奏を聴くのとでは、使う脳番地が異なります。しかも、この2つの番地は同じように発達するわけではありません。

人が成長する過程においては、言葉を聞いて判断する能力より、音を聞き分ける能力のほうが早く身につきます。

これは、言葉を理解できない赤ちゃんが、音楽に合わせて体を揺らすことからも、感覚的に理解できるでしょう。

しかし、幼児期に身につく能力は表面的なものにすぎません。

だからこそ、このトレーニングは聴覚系脳番地の基本的な部分を鍛え直すという意味で、効果的なのです。

特定の音だけに注目すると、それまで気づかなかった意外な発見があるものです。

ずっと聞き流していた曲でも、なぜか特定の楽器の音だけが強く印象に残ったり、何かブツブツ言っているようにしか聞こえなかった音が、よく聴いてみるとお経をアレンジしたものだったということがわかったりとか……。

こうした聴き分けは、聴覚系脳番地を伸ばすうえで大事なことです。

他にも、キーワードを探しながら聴いてみたり、出だしの音階を当ててみたりと、工夫次第でひとつの曲についていろいろな聴き方ができます。

音楽を聴くときには、普段とは少し違う聴き方ができないか、考えてみてください。

48 あいづちのバリエーションを増やす

知人のひとりが「最近の子どもは、人の話を聞いてもあまりうなずかなくなった」と話していたことがあります。子どもに何かを教えても、ただぼんやりと見ているだけで、なかなかうなずいてくれないそうです。

このことからもわかるように、人は会話中に相手がきちんと反応してくれないと不安を感じてしまうものです。

適切なタイミングであいづちを入れたり、相手がうなずいてほしいところでうなずいたりするのは、この章の冒頭でも述べた「聞き上手」になるための最も基本的なスキルです。それだけに、会話時の「聞く」リアクションは意識して実践してみるべきでしょう。

ただし、「適切なタイミングで」といっても、いつも同じあいづちしか打てない人は相手に飽きられてしまいます。

また、間違ったあいづちを打てば、話が思わぬ方向に脱線したり、相手に不快感を与えたりすることもあるでしょう。

要するに、あいづちを打つにも「技術」が必要だということです。

そこで、会話をするときには、さまざまなあいづちを意識的に使い分けてみてください。たとえば「そうですね」という言葉も、言い方によって相手の感じ方が全然違います。「そうですね！」と言えば、相手の言葉に全面的に賛成というニュアンス。一方、「まぁ、そうですね……」と言えば、口では同意しているものの、何か腑に落ちていない感じが伝わります。

また、相手が話し終わってから、しばらく間を置いて「そうですね」と言えば、よく考えたうえで納得したというメッセージを与えることができるでしょう。

このように、あいづちを使い分けるためには、相手の話にきちんと耳を傾け、話を細部まで理解していなければいけません。

また、効果的なタイミングであいづちを打つには、話の中のキーワードに素早く反応することが必要でしょう。

このように話に集中しようという意識が、聴覚系脳番地を鍛えることにつながるのです。

脳コラム

聞こえているのに、聞こえない？

学校の授業や人の長話を聞いていると、つまらないと思った瞬間、急に言葉が頭に残らなくなってしまうものです。

耳をふさいでいるわけではないので確かに聞こえているはずなのに、話し手の言葉が頭の中を素通りしてしまう……。

これは情報が聴覚系脳番地で「行き止まり」状態になっているからです。

行き止まりにならなければ、音声情報が理解系脳番地などに移動し、そこで聞いた音声がしばらく保持され、その意味が分析されます。したがって、内容を忘れてしまうということはありません。

しかし、音声情報が行き止まりになってしまうと、後からどんどん新しい音が入ってくるので、言葉はその番地で消えてしまうのです。

人の話を単に聞き流すだけでなく、意味が理解できるまで音を頭の中に残そうと意識すると、言葉は消えることなく、長く保持することができるでしょう。

chapter **8**

視覚系脳番地トレーニング

見る・動きをとらえる・目利きをする脳番地

視覚系脳番地

視覚系脳番地は後頭部にあり、両目のすぐ後方から伸びる視神経によってつながれています。ベッドで仰向けに寝たとき、枕と接する部分に位置するのが視覚系脳番地だと考えるとわかりやすいでしょう。

左脳の視覚系脳番地は言語系の番地で、おもに文字を読むのに役立ちます。

一方、右脳側は画像や映像を見るときに使われる非言語系の脳番地です。

マンガを読むとき、吹き出しのセリフを読んで理解する人がいる一方で、絵を見ただけで内容を理解できる人がいます。前者は左脳側の脳番地が発達した「言語系人間」、後者は右脳側の脳番地が発達した「視覚系人間」と分類でき、その比率は7対3。ちなみに学校の成績が優秀な人は、そのほとんどが言語系人間です。

MRIで視覚系脳番地の枝ぶりを見ていくと、職業によって左脳・右脳の発達の度合いが大きく分かれます。一般的な職業のほとんどは左脳側、つまり言語系の脳番地が発達していますが、自動車の開発に携わる技術者は右脳側の視覚系脳番地が著しく発達していま

視覚系脳番地

す。彼らは自動車という物体を見ながら設計を行っているだけに、おのずと非言語系の脳番地が伸びていったのでしょう。

また、レーサーや画家、デザイナーも視覚系脳番地が発達しており、画像や映像を見ただけで理解する能力が高いと考えられます。

また、視覚系脳番地は、何かを「見る」番地、「動きをとらえる」番地と、目で見たものを「目利き」する番地の３つに分けられます。

ここで言う「目利き」とは、ものの違いを見分けるだけでなく、その良し悪しの区別までを判断すること。違いがわかることと、良し悪しがわかることは似て非なることです。ですから、見えたり、動きをとらえることはできても、目利きができるようになるまでには時間がかかるのです。

49 雑踏の中を歩くとき、空きスペースを見つけながら進む

駅のホームや商店街などを歩いていると、なかなか前に進めずにイライラするものですが、実はそんな状況下でも視覚系脳番地のトレーニングができます。

人ごみの中にいると空いている場所などないように思えますが、注意して見れば、人間ひとり分くらいのスペースは、意外と見つかるもの。

そこで、進行方向にある空きスペースを探して、どのようなルートで歩けば素早く先に行けるかを判断しながら進んでみてください。

この方法は私自身も実践していますが、実は視覚系脳番地のトレーニングだと意識しないまま、身についた習慣でした。

あるとき、人ごみの中にいる自分の行動を客観的に観察したところ、まわりの人たちの位置を確認しながら、隙間を見つけて移動していることに気がついたのです。「何気なく歩いているようでも、実は激しく視線を動かしていたんだな」と自分で驚いたくらいです。

こうした行動が取れるのも、脳が進行方向にある障害物を的確に認識しているからに他

なりません。しかも、何となく目で見ているのではなく、空きスペースがどこにあるかを見極めようと、自発的に情報にアクセスしているのです。

混雑の中では、自分だけではなく他の人たちも動いているので、その中で空きスペースを探すのは簡単なことではありません。しかし、その困難な状況で実行するからこそ、脳番地が刺激されるのです。

もっともこのトレーニングで大事なのは、早く進むことではなく空きスペースを確実に見つけること。無理に人をかき分けて進むとトラブルの元ですから、ご注意ください。

50 電車の中から外の看板を見ながら数字の「5」を探す

電車に乗って窓の外を眺めていると、ときどき面白い看板を見かけます。

私の知人は、車窓から外を見ていたところ、巨大な文字で「あっ！」と書かれた看板を見つけて興味を持ち、わざわざ下車して見に行ったことがあるそうです（実際には「あっ！」の隣に「困ったときは……」という広告があったとのこと）。

このようにインパクトのある看板を見かけることもあるので、車窓から外の看板を注意深く観察するのは、意外と面白いかもしれません。

車外の看板を読むことは、単に気晴らしになるだけではなく、動体視力を養うことにもつながります。ですから「見る力」を強化したければ、電車やバスに乗ったときに、積極的に窓の外に目を向けるべきでしょう。

とはいえ、単純に窓の外を眺めているだけでは、すぐに飽きてしまいます。

そこで、「居酒屋の看板を探そう」「黄色い看板を数えよう」「看板の中から数字の『5』を見つけよう」というように、何らかのテーマを設定してみてください。

たとえば「5」を見つけるという目的を設定すると、脳は外の景色から何とかして「5」を探し出そうとします。このように特定の文字を探そうとすることで、視覚系脳番地の機能が強化されるのです。

外の景色を見ることは、「どこに何があるか」を理解することになるため、視覚系脳番地の中でも空間を把握する番地が刺激されます。ちなみに空間を把握する脳番地は頭頂部付近にあり、動いているものを認識する脳番地は、側頭葉（頭の側面）にあります。側頭葉では、見えたものを「知識」として蓄積することが多いと言われています。

電車に乗っているときには、中吊り広告にも目を向けてみましょう。じっと見ることにより、止まっているものを見る力（静止視力）を育てることになるからです。

週刊誌の中吊り広告を1文字ずつ読んでいけば、言語関係をつかさどる視覚系脳番地が鍛えられるだけでなく、ボキャブラリーを増やすこともできます。

また、色使いやデザインに注目すれば、「なぜ、このロゴはこんな色なんだろう」「このデザインはどうして目立つのかな」というように、さまざまな角度から広告を分析することができます。このように製作者の意図を探ることで、見たものの良し悪しを判断するという、視覚系脳番地の「目利き」機能を鍛えることができるのです。

51 オセロの対戦中に白と黒を交代する

私は子どもたちとオセロをするとき、途中で白と黒を交代するようにしています。

実はこれも、視覚系脳番地のトレーニング。

目的は、相手の立場に立って状況を読むことにあります。

では、対局の途中で白と黒を交代するとどうなるのでしょうか？

直前までは果敢に攻めていても、立場が変わった途端、攻め手（つまり交代前の自分）がいなくなってしまうのです。こうした状況に陥ると、脳は自分の置かれている状況を把握しようとして、打てる手を必死に探そうとします。

このように、「攻め」と「守り」を変えるだけで、目で見た状況を分析し、適切な判断を下す能力を養うことができるのです。

ここで「このトレーニングは思考系脳番地のトレーニングじゃないの？」と思った人がいるかもしれません。

もちろん、思考系脳番地も刺激は受けますが、やはり鍛えられるのは視覚系の脳番地。

目で見た情報をいかに処理するかを考えることが、「視覚系の思考」を鍛えることにつながるのです。

単純に「見える」と言っても、その中には、現実に目で見えているものだけではなく、「脳の中で見えているもの」もあります。

人間はサルから進化するにあたって、「実際には見えていないが、頭の中では見えている」という、視覚処理に関する脳番地が著しく発達しました。

たとえばサルは、テーブルにバナナが3本並んでいるのを見て、初めて「バナナが3本並んでいる」と理解しますが、バナナが何らかの理由でそこからなくなってしまうと、そこにバナナが「存在していた」ことをすぐに忘れてしまいます。

しかし、人間はサルより長く「経過」を記憶することができるので、「今まであったバナナがなくなった」と理解できるのです。「もともと3本あったはずなのに……」と考えているとき、頭の中ではテーブルにあった3本のバナナが「見えて」いるわけです。

視覚系脳番地を鍛えるには、単に目の前のものを「見る」だけではなく、見たものを「分析する」ことが大事だということです。

52 ファッション雑誌を切り抜いて自分の服装をコーディネートしてみる

多くの人は、ファッション雑誌を見るときに、「こういう格好をしてみたいな」と思うだけで終わってしまうのではないでしょうか。実は、このファッション雑誌の見方を少し変えると、視覚系脳番地を刺激することができるのです。

雑誌の中から、実際に自分が試してみたい服装の写真を切り抜き、コレクションしてみるのです。

この「切り抜く」という行為には、どんな意味があるのでしょうか。

それは、切り抜いたほうが、より明確なイメージを脳に植え付けられるからです。

そもそもファッション雑誌自体、「こうなりたい」という理想像を読者に提供するメディアです。しかし、何となく写真を見ているだけでは、結局は受動的に「いいな」と思うだけで終わってしまいます。

一方、ファッションをコーディネートすることを前提に写真を切り抜いていくと、その切り抜きが自分の理想像をつくるうえでの「コンテンツ」になっていきます。

言うなれば、写真を切り抜くのが「取材」であり、写真を集めて理想像をまとめ上げていくのが「編集」ということになるかもしれません。

このように、必要な素材を集め、それらを組み合わせていくことで、単純に目にしただけの情報がリアルに脳に入ってくるのです。

これは、言い換えれば、ファッション雑誌を「主体的」に見るということ。

雑誌を眺めながら「いいな」「かっこいいな」と思うのは、雑誌をつくっている側の意図通りに「思わされている」にすぎません。しかし、その雑誌の写真を切り抜き、自分流にまとめ上げれば、それは視覚系脳番地を主体的に使いこなしていることになるのです。

応用編としては、「彼女（彼氏）だったらこういう組み合わせが似合うんじゃないか」というように、第三者に合わせる視点で切り抜いても面白いでしょう。それを相手に見せて批評してもらえば、自分のセンスを見直すこともできます。

また、写真の衣装を見て、「私はロングスカートが似合うのか、それともミニスカートが似合うのか」「この場合、帽子は必要か不要か」など、写真に写っていないアイテムも含めて考えると、頭の中のイメージを広げる訓練になるでしょう。

53 自分の顔をデッサンする

ゴッホをはじめ、名だたる画家たちは、ほとんどが自画像を描いています。

彼らの自画像は技術をみがく一環だったのでしょうが、実は自分の姿を描くことは、視覚系脳番地を鍛えるうえでとてもいい訓練になるのです。

見たものを描き写すという作業は、対象をいろいろな角度から眺め、普段あまり気に留めない部分を意識することになりますから、それ自体が脳を活性化させます。

さらにその対象が自分自身の顔になると、見慣れている顔を客観的に眺めることになるため、脳が新鮮な刺激を受けるのです。

自画像を描くのは、髪型を変えた日やメガネを替えた日など、見た目に何か変化があったときのほうがいいと思います。

髪を切った場合なら、1週間前の姿と切った当日の姿を描き、比較してみるのもいいでしょう。これにより、髪を切る前の自分の心境を振り返ることができるからです。

また、描くときは細部にまでこだわってください。

細かいパーツまで描いたほうが、特徴をよりはっきり認識できます。

自画像では、描く「対象」を一番よく知っているのは他ならぬ自分自身ですから、普段気づかないような小さな変化を発見すると、それが素直な驚きになります。ですから、意外な発見をできるだけ多く見つけるためにも、細部まで描き込むべきだと思います。

なお、トレーニングとして有効なのは自画像だけではありません。

小学生の頃、多くの人が朝顔などの生長記録（絵日記）を描いたと思いますが、この絵日記も視覚系脳番地のトレーニングになるのです。

細かくスケッチすることが脳に刺激を与えるのはもちろんですが、芽が出て、花が咲き、実がなって枯れていくまでを時間を追って観察していくと、生長の流れや、周囲の環境による育ち方の違いなどを視覚的にとらえることができます。

観察しながら、「水をほしがっているのかな？」と話しかければ、さらに感情系脳番地を活性化することもできるでしょう（↓84ページ）。

54 鏡を見ながら、毎日10種類以上の表情をつくってみる

突然ですが、あなたは笑っているときや怒っているとき、悲しいときに自分がどんな表情をつくっているか、頭の中でイメージできますか？

ここでは、鏡を見ながら顔の表情を変化させるトレーニングをしてみましょう。

自分の顔を鏡でまじまじ見るのは気恥ずかしいものですが、このトレーニングによって自分の表情を視覚系脳番地にインプットさせることができます。

鏡の前で自分のさまざまな表情を観察することで、実際に笑っているときや怒っているときに、自分がどんな顔をしているか、思い浮かべることができるでしょう。

これは、いわば「頭の中」で自分の顔を見ている状態だと言えます。

すでに述べたように、視覚系脳番地が反応する「見る」には2つの種類あります。

ひとつは実際に目で見えているものや、その物体の動きを「見る」場合。もうひとつが、現実に見えていないものを記憶や想像を頼りに頭の中で「見る」場合です。

このトレーニングに関連するのは後者で、自分の顔を視覚系脳番地に日々更新していく

ことで、イメージを豊かにしようという狙いがあるのです。

自分の顔をよく見ていない人は、表情をうまく想像できないため、思いきり笑いたくてもうまく笑顔をつくることができません。

結果として表情が乏しくなり、「あの人は愛想が悪い」「いつも無表情で何を考えているかわからない」などと誤解されることになってしまうのです。

そうならないためにも、毎日鏡で自分の顔を見て、10種類以上の喜怒哀楽の表情をつくるトレーニングをしてみましょう。

たとえば「笑う」表情だけでも、「ガハハと笑う」「苦笑いする」「泣き笑いを浮かべる」というようにさまざまなバリエーションがあります。また、「怒る」にしても、「激怒する」場合もあれば、「ダンマリを決め込む」という場合もあります。

普段、あまり感情を表に出さない人にとっては、10種類以上の表情をつくるのは難しいかもしれませんが、それでも、粘り強く続けてみてください。毎日続けていくうちに、表情のバリエーションは自然と増えていくでしょう。

55 映画やドラマのキャラをまねてみる

ウルトラマンや仮面ライダーといったヒーローは、長きにわたって男の子たちのあこがれの存在となっています。公園や広場に行くと、子どもたちがヒーローをまねする姿を見かけることもしばしばです。

面白いことに、この「まね」という行為は、視覚系脳番地に大きな影響を与えるのです。子どもたちがヒーローごっこをするのは、「ウルトラマンや仮面ライダーみたいになりたい」という願望があるからでしょう。

このように「なりたい」という願望を抱きながらテレビやＤＶＤを見ていると、見ている側は、知らず知らずのうちにヒーローに関する情報を画面から吸収しようとします。つまり「まね」をするために、番組を能動的に見るわけです。

もっとも、映画やテレビを見て「こうなりたい」と思うのは、子どもたちに限ったことではありません。

大人でも、ドラマの主人公が着ていた服をかっこいいと思ったら、同じものを着てみたいと思うことがあるでしょう。

また、映画やドラマのロケ地に行ってみたいと思うことも、実際に劇中のシチュエーションに自分の身を置くという意味において、ひとつのまねと言えるのではないでしょうか。視覚系脳番地は、単に映画やテレビを見るだけでも使われますが、登場人物の身につけているものや物語の舞台に興味を持ち、能動的に作品に関わることで、より強く刺激を受けます。ですから、「自分もこうなりたい」と思ったら、積極的にまねることが必要だと私は考えています。

単に「見る」から「見たい」に変わるだけで、脳の働きはまったく異なります。「～される」という状態では脳は受身のままですが、「～したい」と思うことで、情報を自ら主体的に取得するようになり、結果的に脳が活性化されるのです。

日常を受身の姿勢で過ごしていると、大量の情報に流されてしまいますが、「見たいもの」を明確に意識していれば、たくさんの情報から本当に自分が必要とするものを選択できるようになるのではないでしょうか。

56 街ですれ違う人の背景を推測してみる

街を歩いていると、通りの真ん中に立っている人や、数人で並んで歩いている人に行く手を阻まれるケースがあります。

私も過去にこんな経験がありました。

通りを歩いていたときに、ひとりの女性がスピードを出しながら自転車で突進してきて、危うく正面衝突されそうになったのです。結局、私のほうが自転車をよけざるを得なくなりましたが、さすがにこのときばかりは腹の立つ思いがしました。

脳科学的に見れば、このような行動を取る人は視覚系脳番地の訓練不足と言わざるを得ません。その女性も人ごみの中で空きスペースを見つけ出す訓練をしていれば、このような事態は避けられたはずなのに……などと複雑な気持ちになったものです。

ただ、見方を変えると、このような経験でもしない限り、すれ違う相手に注意を向けることなどないのかもしれません。

実は、街中ですれ違う人がどんな人なのかを考えながら彼（彼女）を観察することは、視覚系脳番地のトレーニングになるのです。

私たちは、当然のことながら、すれ違う人の職業や性格、考え方をまったく知りません。背景がわからないだけに、顔立ちや雰囲気、服装などから、「この人はやさしそうな人だ」「この人はあまり社交的な人ではないな」などと想像するしかないのです。

しかし、このように積極的に相手の特徴をつかもうという努力こそが、視覚系脳番地を鍛えることにつながるのです。

もっとも、人とすれ違うのは一瞬ですから、じっくり観察することはできません。

そういう場合は、すれ違った人のイメージを瞬時に記憶し、その人に似ているタレントやスポーツ選手、あるいは友人、知人がいないかどうか、考えてみるといいでしょう。

顔の情報のマッチングは、「見た情報を分析する」「誰かの顔を思い出して照合する」という2つの作業を同時に行う、非常に高度な情報処理なのです。

57 公共スペースが汚れていく過程を観察する

過去に私が自宅から駅までの道路を掃除していたことはトレーニング32でも述べましたが、掃除や洗濯は基本的に脳番地にいい影響を及ぼします。

これは視覚系脳番地においても例外ではありません。

そこで、公共スペースのゴミを拾うことを習慣にしてみましょう。

普段何気なく歩いている場所でも、よく見るとたくさんのゴミが落ちているものです。

少し歩くだけでも、路上にはタバコの吸殻、公園には空き缶、また、海岸にはプラスチックでできた洗剤の空き容器やペットボトルが捨てられていることに気づきます。

このように汚れているエリアを見つけたら、周辺を清掃してきれいにしてみましょう。

どんなにきれいにしても、しばらくするとすぐにまた新しいゴミが捨てられるかもしれません。不特定多数の人が通る場所ですから当然といえば当然ですが、ただ、掃除した人にとっては、その場所がちょっと違った形に見えるはずです。

一度きれいな状態を見ていますから、継続的に観察すると、その場所がなぜ、どのように汚れていくかがよくわかるのではないでしょうか。

つまり、このトレーニングで重要なのは、掃除そのものより、むしろ掃除後の汚れていく過程を見ることなのです。

掃除した場所を見て、「もう吸い殻が落ちているのか」「このゴミはいつ捨てられたんだろう」と思うのは、「汚れ」に敏感になるからでしょう。

こうした「気づき」が、視覚系脳番地に刺激を与えるのです。

実はこのトレーニングでは、視覚系脳番地の機能だけでなく、もうひとつ別の能力が鍛えられます。

それは「発想力」。

新しい発想とは、思いもしないものが思いもしないところから思考に介入してきた結果、生まれるものです。公共のスペースは不特定多数の人が使う分、想定していないような汚れ方をしたり、意外なゴミが落とされたりします。

「なぜ、こんなところが汚れたんだろう」「どうしてこんなゴミが落ちたのかな」という驚きが、ユニークな発想を生み出す源泉になるのです。

脳コラム

英語の勉強と脳番地

英語力をつけるためには、徹底的に「英語漬け」にならなければいけないと思っていませんか？実はこの考え方は必ずしも正しくありません。

英語を使うときには、「聞く」「話す」「理解する」「書く」などの能力が必要とされます。そして、実際に英語でコミュニケーションするときには、これらの能力に関わる脳番地が働くわけですが、その中には「英語を使うことでしか鍛えられない脳番地」と「英語を使わなくても鍛えられる脳番地」があります。

たとえば、聴覚系脳番地を鍛えて、人の話を一言一句漏らさずに聴くことができれば、英語を聴き取るときに非常に役に立ちます。ただ、このとき聴き取る音声は英語である必要はありません。普段、日本語を話しているときに、人の話を注意して聴く習慣をつければいいのです。

つまり、英語を勉強しなくても英語力の素地を養うことは十分できるのです。

secret of the human brain

chapter 9

記憶系脳番地トレーニング

伸ばす秘訣は知識・感情との連動

記憶系脳番地

脳の中心部には、記憶の蓄積に深く関係する「海馬」という器官があり、この器官は左脳と右脳、それぞれに存在しています。この海馬の周囲に位置するのが記憶系脳番地。左脳側は言語の記憶、右脳側は映像など非言語の記憶をつかさどっています。

実は「記憶」には、「知識の記憶」と「感情の記憶」の2種類があります。

前者は思考系脳番地と、後者は感情系脳番地と密接に関係しており、それぞれ記憶の経路が多少異なります。

悲しい場面に直面したときに、過去に起きた、まったく関係のない悲しい記憶を急に思い出したという人がいますが、これがまさに「感情の記憶」です。心が激しく揺さぶられたことで、それまでとは異なる経路の記憶が呼び戻されたというわけです。

記憶系脳番地が発達している職業としては、通訳や歴史家などが挙げられます。

いずれも豊富な知識が必要な職業であるだけに、「頭のいい人でないと記憶力が良くならないのでは？」と考えている人がいるかもしれません。

記憶系脳番地

他に大脳の内部にあるH番地（海馬）が含まれる。

しかし、それは誤りです。単に記憶力をつけようとしても記憶系脳番地は鍛えられません。なぜなら、知識や感情と連動させなければ、記憶系脳番地は刺激されないからです。つまり、記憶系脳番地を鍛えるには、思考系や感情系の脳番地とリンクさせることが不可欠だということがわかるでしょう。

ですから、物覚えが悪くなったからといって、低下した記憶力を無理に伸ばそうとしても、あまり意味がありません。記憶力をつけたいなら、リンクしている思考系や感情系の脳番地トレーニングにシフトするべきなのです。思考や感情と連動させながら記憶できる状況に持っていき、そのうえで知識を取り入れたほうが、強く記憶されますし、衰えた記憶力を再び向上させることも可能になるのです。

58 お互いに無関係な知り合いの「共通点」を探す

記憶というものは、思考や行動を促す情報として、各脳番地の間を絶え間なく行き来しています。初対面の人を見て、「この人は、以前お世話になった人に似ているな」と、知っている人と関連づけることで相手のことが強く記憶に残ることがあります。これはまさに、脳内に蓄積されていた過去の記憶が現在の情報とマッチングした結果なのです。

このことを応用して、あなたの知人や友人の中から2人の人を無作為に選び、その人たちの共通点を探ってみると、記憶系脳番地を鍛えることができます。

ピックアップする2人は、互いに面識がなくても構いません。むしろ、類似点を少なくするために、ひとりが職場の同僚なら、もうひとりは中学時代の同級生というように、あなたと関わった場所や時期が異なっている人を選んだほうがいいでしょう。

試してみるとわかりますが、まったく接点のない2人の共通点を探すのは簡単なことではありません。また、血液型や出身地、年齢、性格、好みなど、さまざまな項目を比較していくと、いかに自分が相手のことを知らないか、思い知らされると思います。

もし、どちらかの人について情報がない場合、もうひとりの情報をもとに推理してみるのも面白いかもしれません。

「Qさんは典型的なA型で慎重な性格だけど、Pさんは時々すごく大胆な行動を起こすから、性格は正反対だ。だから、Pさんは B型じゃないかな？」という具合です。

このように考えられるのも、2人のデータがあなたの脳にきちんと蓄積されているからです。ですから、「何か共通点がないかな……」と考えを巡らしているときは、2人に関する記憶をたぐり寄せて、さまざまな項目を比較している状態なのです。

このとき、記憶系脳番地が大いに刺激を受けているのは言うまでもありません。

59

1日20分の「暗記タイム」をつくる

以前、ある大学の教授から、こんな話を聞きました。

その教授は、自宅から大学までタクシーに乗る際、自分の研究分野に関する本を読んで、その内容を覚えることを習慣にしているというのです。

大学が近くなっても最後まで読み終わっていないときは、時間を稼ぐためにわざわざ迂回してもらうこともあると話していましたから、驚きです。

一見、変わった勉強法のようにも思えますが、彼にとってはこの方法が最も集中しやすく、確実に本の内容を記憶できるとのことでした。

実はこの勉強法、脳の観点からすると非常に合理的なのです。

脳はデッドラインを明確にすると、それまでに何とか作業を終わらせようとする傾向があります。

ですから、この教授のケースであれば、勉強の空間を車内に限定することで、「タクシーが着くまでに覚えなければならない」という意識が強く働き、集中することができるのです。

とはいえ、誰もがこんな方法を実践できるわけではありません。

そこで、この例を少し応用して、毎日決まった時間を確保して、その間に集中して何かを覚えるようにしてみてはどうでしょうか。

忙しい中で、まとまった時間を確保することは難しいかもしれません。

ですから、たとえば1日に20分だけ時間をつくり、その間に覚えることに専念してみるのです。

勉強時間を1時間捻出することは大変ですが、20分なら散歩の時間や通勤時間に確保することができるでしょう。それでも難しいという場合は、寝る前の10分間でも構いません。

「暗記タイム」の時間は、あなたの生活パターンに応じて設定してみてください。

要するに、記憶系脳番地を活性化させるためには、脳がデッドラインの存在を意識できればいいのです。

60 新語・造語を考えてみる

ニートやクールビズ、アラフォー、婚活など、現代は新しい言葉（新語）が次々につくられる時代です。このような新語は、誰かが思いついたり、一部の人たちの間で使われていたりした言葉がメディアを通じて広まったものですが、まわりで使われているから何となく使っているという人も多いのではないでしょうか。

ひとつの言葉が短期間に日本中に広まるのは、驚くべきことだと思わずにはいられません。もちろん、マスメディアの影響力もあるのでしょうが、ある言葉が一気に広まる最大の理由は、その言葉があいまいな概念や現象を、極めて的確に表現しているからでしょう。

実は、この「新語」を考える作業は、記憶系の脳番地を大いに刺激します。「新しい言葉を生み出すことは、『記憶』とは関係ないのでは？」と思う人がいるかもしれません。

ところが、実際、人は何かを暗記するときよりも、新しい言葉を考え出すときのほうが記憶系脳番地を使っているのです。

そもそも新語には、古い概念に対抗する新しい概念が必ず含まれています。この新しい概念は、古い概念（言葉）を理解していなければ生み出すことはできません。脳が古い情報を検索し、それまでには存在しなかったとわかるからこそ、それが「新しいもの」だと認識できるのです。

このことを身を持って理解するためにも、自分の好きな分野でまったく新しい言葉をつくり出してみるといいでしょう。

もともとある言葉を変化させたり、これまでとくに名付けられていなかったものに名前をつけたりするのです。すると、既存の言葉や概念を知らなければ、新語がつくれないことに気づくはずです。

本当の意味での新しさとは、言葉としての新しさではなく、概念やコンセプトの新しさなのだと私は思います。

だからこそ、記憶系脳番地の能力を伸ばそうとするなら、それまでに見聞きしてきたことと照らし合わせながら、自分の中でまったく新しいものをつくり出していくことが大切なのです。

61 『論語』を覚える

この章の冒頭で「記憶力をつけることだけが記憶系脳番地のトレーニングではない」と書きましたが、それでもやはり、記憶系脳番地を鍛えるためには、記憶力をある程度高めることが必要です。

ただし、何でもいいから手当たり次第に暗記すればいいというわけではありません。大事なのは、「計画的に」覚えることです。

暗記の対象は、長ければ長いほど覚えがいがあるというもの。たとえば孔子の『論語』や仏教の『般若心経』を、暗誦できるまでひたすら覚えるのもいいでしょう。

しかし、どちらもそう簡単に覚えられるものではありません。実際、勢い込んで全部暗記しようと試みても、途中で確実に挫折するはずです。

では、どうすればいいのか?

すべて覚えようと思わないことです。

「それでは記憶力のトレーニングにならないのでは?」と思う人がいるかもしれませんが、

要は1度に全部覚えようとするからできないのであって、覚える範囲を限定して毎日少しずつ暗記すれば、意外と楽に頭に入ってくるものです。なかなか覚えられないという人は、同じところを何度も読みながら、覚える行数を毎日1行ずつ増やしていくといいでしょう。こうして暗記量を積み重ねていくことで、記憶の容量はおのずと増えていきます。

ちなみに私は、この方法で本居宣長の『うひ山ぶみ』（学問を志すうえでの心構えが書かれた書物）を暗誦できるまでになりました。

これは私の個人的な考えですが、人間は10回以上読むことで、初めて内容を理解することができるのだと思います。

ですから、焦る必要はありません。

極端な話、毎年10％ずつ覚えていき、10年で100％覚えようと計画すればいいのです。

ただ、暗記するにあたって、あまりに難解な本を選ぶとすぐに挫折してしまいます。『論語』や『般若心経』が難しいと感じたら、好きな小説の一場面やお芝居のセリフ、詩など短いものを選んで暗記すればいいでしょう。

何事も苦にならない程度に続けることが大事です。

62 洋楽の歌詞を聴いて口ずさんでみる

英語の学習も、記憶系脳番地の効果的なトレーニングになります。

ただ、海外在住の人ならまだしも、日本に住んでいる私たち一般的な日本人にとって、日常的に使う言葉は、当然、日本語です。

普段の生活の中で英語に接する機会は極めて少ないと言わざるを得ません。

もちろん、英語で日常会話ができる人も多くいますが、そうでない人にとっては、英単語レベルで理解することはできても、文章になった途端、相手が何をしゃべっているのかわからなくなるというケースがほとんどではないでしょうか。

では、そういう人は、英語を使った脳番地トレーニングはできないのでしょうか。

そんなことはありません。

英語が苦手な人でも、洋楽を聴くことに対しては抵抗がないはず。

そこで、「洋楽」の歌詞を覚えることで、記憶系脳番地を刺激してみましょう。

音楽の歌詞は文章とは違い、言葉がメロディーに乗っている分、覚えるのも楽です。

また、聴いているだけで心地良い気分になりますから、歌詞も自然と口から出てくるもの。

耳で聴いて覚えたものを声に出すと、今度は口（音）から覚える形になり、これを繰り返すことで記憶をさらに強化することができるのです。

歌詞に限らず、何かを覚える際、このように声に出してみるのはとても大事なことです。たとえば、披露宴のスピーチの原稿を暗記しなければならないときに、文字を黙って読んでいてもなかなか覚えられなかったのに、声に出して読んでみたら不思議と早く覚えることができた……という経験はないでしょうか。

暗記をしたいときには、このように覚えたいことを繰り返し声に出すと、情報が脳内に確実に定着するのです。

ですから、洋楽を聴くときも、歌詞やメロディーを覚えたら、次は実際に口ずさんでみてください。この作業を繰り返し行うことで記憶が確かなものになっていくのです。

記憶系

63

前日に起きた出来事を3つ覚えておく

1日の出来事というのは、その日のうちなら事細かに覚えているものですが、時間が経つにつれて、どんどん思い出せなくなってしまうものです。

ましてや、取るに足らない些細な出来事ほど、すぐに忘れてしまうもの。

たとえば、「1週間前に食べた朝食を思い出せ」と言われても、そう簡単に思い出せるものではありません。

しかし、記憶力が強化されれば、5日前の朝食を尋ねられても、「あの日の朝食はトーストとベーコンエッグだった」と答えられるようになるのです。

もちろん、このレベルに到達するまでには、毎日の訓練が必要です。

では、どのような訓練をすればいいのでしょうか。

具体的には、朝、目が覚めたら、前日の出来事を思い出し、覚えておきたい（覚えておいたほうがいい）出来事を3つ挙げるのです。

その日の夜ではなく、翌朝にこの作業をするのはなぜかといえば、一定の時間を置くことで、詳細が思い出しづらくなるからです。

思い出せないことが多いほど、そこに記憶をたぐり寄せる必要が生まれ、その作業が記憶系脳番地を刺激することになります。

もちろん、単に思い出すだけでは意味がありませんから、いったんノートに記録するなどして、数日後にきちんと記憶できているかどうか検証することが必要でしょう。

なお、思い出すべき事柄は、「ダイエットするために」食事内容を思い出す、あるいは「仕事を速く進めるために」途中だった仕事の進捗状況を思い出してみる、というように目的をはっきりさせておいたほうが効果的です。

この作業を繰り返していけば、毎日3つずつ情報が蓄積されていき、記憶の引き出しが増えていくはずです。

トレーニングを継続するうちに、3つの出来事を覚えることが簡単になっていくかもしれません。そのときは、覚える数を増やしていけばいいのです。

記憶系

64 日曜日に翌週の予定をシミュレーションしてみる

ビジネスの世界で成功している名経営者には、常に前向きで、普段の会話においても将来のビジョンを話したがる人が多いと聞きます。

なかには「40歳までに年商○○億円を実現させ、60歳までに経営の第一線を退き、その後は自分が学んできたノウハウを若い世代に伝授しながら余生を過ごしたい」というように、具体的な人生計画を立てている人までいるそうです。

このように、明確な将来像を描いて行動することは、記憶系脳番地の発達にも大きく影響します。

自分が「こうなりたい」という姿を頭に浮かべ、それを書き出したり、繰り返し誰かに伝えたりすることで、そのイメージは確固たる情報となって脳内に記憶されていきます。

すると、さまざまな局面で「理想の将来像に近づくために、ここで自分はどう行動すべきだろうか」と考えて、そのつど蓄積された情報を引き出しながら行動するようになるのです。つまり、「こうなりたい」と強く念じれば念じるほど、そのイメージが記憶からひっぱり出される頻度も多くなるというわけです。

記憶系脳番地を鍛えるには、このように理想像をイメージすることも有効ですが、ここでは少し趣向を変えたトレーニングにチャレンジしてみましょう。

日曜の夜に次の1週間のスケジュールがどうなっていたかを思い出し、何をすべきかをシミュレーションしてみるのです。

たとえば、「月曜日は朝9時に出社した後、10時から会議が入っているから、9時半まで書類の整理をして、その後の30分で会議の資料を読み込んで……」と細かい予定を立て、そのシミュレーションに基づいて実際に行動してみるのです。

これも自分の中に、ある種の「理想像」をつくる作業だと言えます。

記憶力とは、過去に覚えたことを必要に応じて引き出す力だけを指すのではありません。逆に、未来に向けて思い描いたイメージを随時引き出していくのも記憶の力です。

将来のビジョンを持つということは、「未来の記憶」を創造する行為ですので、記憶系脳番地にとっても大事なことなのです。

65 その日の「ベスト発言／ワースト発言」を選んでみる

日々の発言を振り返ってみると、考えに考え抜いた末のものもあれば、その場の勢いで出てしまったものもあります。

とくに後者に関しては、自分の発言なのに、「あれは思いつきで言ったことだから」と無責任になってしまうことも……。

いつもその場の思いつきで発言していると、信用を失ってしまうことにもなりかねません。そうならないためにも、1日の終わりに自分の発言を整理し、自分が発する言葉に対して意識的に関わっていく必要があるでしょう。

「整理すると言われても、どうすればいいかわからない」という人は、その日の自分の発言を思い出して、「ベスト発言／ワースト発言」を決めることから始めてみてはいかがでしょうか。

ベスト発言は、誰かを喜ばせた言葉や、うまい表現で相手をうならせたような言葉。

反対にワースト発言は、誰かを傷つけてしまった言葉や、自分を不利な状況に追い込ん

でしまったような言葉です。

このようなランク付けをすることにより、自分がその日どんな発言をしたのか改めて確認することができますし、何より自分の発言に責任を持つことができます。

このとき、発言を振り返りながら、相手の反応はどうだったか、他の人に対してフォローしておく必要がなかったかなど、その発言に関連する事柄を併せて思い出してみてください。

関連情報を一緒に掘り起こすことで、言葉の記憶だけでなく映像記憶もひっぱり出すことができるので、記憶系脳番地がより活性化されるのです。

66 ガイドブックを持たずに旅行に行く

旅行に行くときに、あなただったらどのように情報を収集しますか？

添乗員付きのパック旅行を利用するから、自分は何も調べないという人もいるでしょうし、逆にインターネットなどで現地の情報を片っ端から調べて、ぬかりなく準備するという人もいるかもしれません。

いずれにせよ、より良い旅をするために、ガイドブックを必ず持っていくという人は多いでしょう。記憶系脳番地のトレーニングとして、私はこのガイドブックをあえて持っていかないことをおすすめします。

こう言うと、「せっかく旅行に行くのだから、現地で情報がまったくないのは困る」と言う人がいます。

確かに、ガイドブックを持っていかなければ、旅先で名所や見どころの情報を参照することはできません。

しかし、それが困るというのであれば、事前に覚えてから出発すればいいのです。

そのためには、自分の知識を記憶からひっぱり出して、知っていることと知らないことを整理する作業が必要になります。

たとえば京都に行く場合、「三十三間堂と清水寺に行ってみよう」と計画したとします。このとき、三十三間堂がどこにあるのか、清水寺へ行くならどのルートが最も近いかという情報は、知らなければあらかじめ調べて記憶しておかなければいけません。

誰でも後悔するような旅行はしたくありませんし、トラブルは避けたいでしょうから、事前にできる限り正確な情報を覚えようとするでしょう。

旅先では、事前に覚えておいたこの記憶と、現地で収集した情報を合わせてスケジュールを組み立てていくことになりますが、この作業が独創的な旅を実現してくれるのです。

このトレーニングでは、行きたい場所の情報を優先的に覚えるでしょうから、おのずと「したい思考」で記憶を使うことになります。この記憶の使い方がガイドブックの内容を確認するだけの「させられ思考」の旅行とは、比べものにならないほど脳に刺激を与えることは言うまでもありません。

おわりに

いかがでしたか？

すでにいくつかのトレーニングを試したという人もいるでしょうし、これからチャレンジしようと考えている人もいるかもしれません。

いずれにせよ、本書の多くのトレーニングが、脳を積極的につくり変え、「前向き」な思考を育てるメニューになっていることを理解してもらえたのではないでしょうか。

しかし、本書のトレーニングを実践すれば、それだけで強い脳ができる……というわけではありません。

大切なのは、トレーニングの内容に自分流の工夫を加えること。

また、あなた自身が新しいトレーニングを創ることです。

なぜなら、本文でもお伝えしたように、同じ経験をいくら繰り返しても、脳には限定的な刺激しか与えられないからです。

ちなみに私は、よく「夢」を利用して新しいトレーニングをつくります。

夢の中に出てきた珍しい動物や鳥が実在するのか真剣に調べてみたり、夢で経験した出来事を細かく思い出し、「実際に起きたらどうなるだろう？」と考えたりします。

先日は、こんな夢を見ました。

弊社（脳の学校）の社員と2人でお客様から依頼された仕事を進めていたところ、予算が３０００円しかなくて大あわて……という内容でした。

普通なら「変な夢だったな」で終わるところですが、もしこれが現実だったらどのように対処すればいいのだろう、と真剣にシミュレーションするわけです。

もうひとつ、脳を強くするうえで重要なのは、価値観が大きく変わるような体験をすることでしょう。

この本でお伝えしてきたように、日常の習慣を見直すだけでも脳を刺激することは十分可能です。しかし、価値観がまったく変わるような体験をすると、脳が心地良い〝衝撃〟を受け、その結果「潜在能力」が引き出されるのです。

何によって価値観が変わるかは、人それぞれだと思います。

私にとって、価値観が変わるほどの「衝撃体験」だったのは、本書で何度も登場している「ＭＲＩ」との出会いでした。

磁石でできたドームの中に10～20分間横たわっているだけで、１ミリほどの薄さごとに体の断面が画像化されてしまう――。

27歳のとき、MRIを初めて目にした私は、「この技術が医学そのものを変えることになるだろう」という衝撃を受けました。

このとき、私の脳は確実に生まれ変わったのです。

話が少しそれますが、皆さんは「九会曼荼羅《くえまんだら》（金剛界曼荼羅）」をご存じでしょうか。曼荼羅とは、仏教（とくに密教）において、仏の「悟り」の境地を視覚的に表現したもの。九会曼荼羅は、縦3マス×横3マス、合計9マスのブロック（漢字の「囲」のような形）のそれぞれに仏の姿が描かれている曼荼羅のことです。

9つのブロックの中心には「大日如来」という仏様が位置していますが、実はまわりの8つはこの大日如来の化身だと言われています。

私は、本書で紹介した8系統の脳番地について考えるとき、いつもこの曼荼羅を連想せずにはいられません。

本書で示した8系統の脳番地トレーニングは、九会曼荼羅で表現すれば、中心「以外」に配置されているもの。

では、中心に位置するトレーニングとは何でしょう？

それは、自分自身の価値観を鍛えるトレーニングなのではないか……。

私はそんなふうに考えています。

8つの脳（8系統の脳番地）をどう動かすかは、つまるところ、あなたの価値観によって決まります。トレーニングを進めるときには、この中心に位置する「自分」を意識してみると、今までとは違った視点が持てるかもしれません。

皆さんが、8つの脳番地を縦横無尽に操り、夢に向かって踏み出す小さなきっかけとして本書を使っていただければ幸いです。

最後になりましたが、本書を製作するうえで尽力していただいた上新大介氏、編集の労をとってくださったあさ出版の木田秀和氏にこの場を借りて厚く感謝申し上げます。

著者略歴

加藤 俊徳（かとう・としのり）

1961年新潟県生まれ。医師、医学博士、株式会社「脳の学校」代表。

14歳のときに、「脳を鍛える方法」を探そうと、医学部への進学を決意する。昭和大学医学部、同大大学院を卒業後、91年国立精神・神経センターにて脳機能を光計測するNIRS原理を発見。95年より、アメリカ・ミネソタ大学放射線科MR研究センターに研究員として在籍。臨床診療の経験を生かし、胎児から100歳を超えるお年寄りまで1万人以上の脳画像を分析してきた。

帰国後は慶應義塾大学、東京大学などで脳の研究に従事しながら、MRI脳画像診断のスペシャリストとして活躍。06年、株式会社「脳の学校」を立ち上げ、脳酸素を計測するCOEやMRI技術を使って脳の「個性」の鑑定を行っている。

近著に『東大脳になる勉強習慣』（PHP研究所）、『脳はこの1冊で鍛えなさい』（致知出版社）、『仕事ができる人の脳　できない人の脳』（ディスカヴァー・トゥエンティワン）がある。

【編集協力】上新大介

【本文イラスト】ほりたみわ

脳《のう》の強化書《きょうかしょ》　〈検印省略〉

2010年　3月19日　第1刷発行

著　者――加藤　俊徳（かとう・としのり）
発行者――佐藤　和夫

発行所――株式会社あさ出版
〒171-0022 東京都豊島区南池袋2-47-2 ワイズビル6F
電　話　03 (3983) 3225 (代表)
F A X　03 (3983) 3226
U R L　http://www.asa21.com/
E-mail　info@asa21.com
振　替　00160-1-720619

印刷・製本　(株) ベルツ
乱丁本・落丁本はお取替え致します。

ISBN978-4-86063-352-3 C2034